BUR

Carlo Goldoni

Il ventaglio

introduzione di LUIGI LUNARI
cronologia, premessa al testo, bibliografia
e note di CARLO PEDRETTI

Biblioteca Universale Rizzoli

Proprietà letteraria riservata
© 1980 RCS Rizzoli Libri S.p.A., Milano

ISBN 88-17-12266-1

prima edizione: giugno 1980
terza edizione: gennaio 1989

CRONOLOGIA DELLA VITA E DELLE OPERE
DI CARLO GOLDONI

1707, 25 febbraio Carlo Goldoni nasce a Venezia da Giulio Goldoni, veneziano di nascita ma di origine modenese, e da Margherita Salvioni. Il padre Giulio, carattere irrequieto, peregrina per varie città dell'Italia settentrionale e centrale nell'esercizio della sua professione di medico, tardivamente abbracciata e detestatissima, mentre la famiglia rimane a Venezia. Ancor bambino Carlo si sente attratto dal teatro. All'età di otto o nove anni scrive una commedia.

1716-1720 A Perugia, dove il padre svolge la propria attività, compie gli studi nel collegio dei Gesuiti.
Ha modo di recitare come personaggio femminile nella *Sorellina di don Pilone* del Gigli, rappresentata in una sala del palazzo Antinori, clienti e protettori di Giulio.

1720-1721 A Rimini, presso i Domenicani, inizia gli studi superiori di filosofia scolastica. Trova la materia eccessivamente arida e, disgustato, si aggrega ad una compagnia di comici e scappa a Chioggia presso la madre.

1721-1722 Il padre pensa allora di farne un medico, ma il giovane non dimostra nessuna attitudine per la medicina. Decide perciò di indirizzarlo alla carriera legale (il nonno, del resto, era stato notaio). È così che Goldoni fa pratica presso l'avvocato veneziano Giampaolo Indrich, suo zio.

1723-1725 Accolto presso il Collegio Ghislieri, segue i

corsi di giurisprudenza all'Università di Pavia. Viene successivamente espulso a causa di una pungente satira scritta contro le fanciulle delle più nobili famiglie della città.

1725-1727 Raggiunge il padre a Chioggia e lo segue nelle sue peregrinazioni per il Veneto, toccando perfino Lubiana e Graz. Prosegue sempre più fiaccamente gli studi di legge a Udine. A Vipacco si improvvisa regista della *bambocciata* del Martello *Lo starnuto di Ercole*.

1728-1729 È *coadiutore aggiunto* presso la Cancelleria Criminale di Chioggia. Gli impegni connessi con il nuovo lavoro lo portano anche a Modena e a Feltre.

1729-1730 Inizia l'attività di scrittore comico con due intermezzi: *Il buon padre* e *La cantatrice*.

1731-1732 A Bagnacavallo muore improvvisamente il padre. Carlo riprende gli studi legali e si laurea in legge a Padova. Esercita a Venezia la professione di avvocato. Per sfuggire ai creditori e per evitare un matrimonio non voluto fugge dalla città, portando con sé il manoscritto dell'*Amalasunta*, una tragedia che più tardi dà alle fiamme.

1733-1734 Si stabilisce a Milano. Qui diventa *gentiluomo di camera* e segretario del Residente veneto. Goldoni lo segue a Crema, ma, in seguito a un dissenso con lui, si licenzia e torna a Milano, dove si occupa di rappresentazioni teatrali; scrive l'intermezzo *Il gondoliere veneziano* e la tragicommedia *Belisario*. A Verona conosce l'impresario Grimani e il capocomico Giuseppe Imer, per il quale scrive un nuovo intermezzo, *La pupilla*; lo segue a Venezia — dove, al San Samuele, riscuote successo il *Belisario* (25 novembre 1734) — e a Genova.

1735 Si incontra con Vivaldi.

1736 A Genova conosce e sposa Nicoletta Connio, figlia di un ricco notaio, la sola che riuscirà a portare una nota di ordine in una vita tanto irregolare.

1737 È direttore del teatro San Giovanni Crisostomo, di proprietà del Grimani, incarico che ricoprirà fino al 1741.

1738-1739 Scrive *Momolo cortesan*. Si tratta di un canovaccio da commedia dell'arte che presenta, però, la parte del protagonista interamente scritta. Questa commedia segna dunque l'inizio della riforma del teatro. Tra vecchio e nuovo seguono *Il prodigo* e *La bancarotta*.
È nominato console della Repubblica di Genova a Venezia. Regolarmente, ogni settimana, Goldoni spedisce una relazione circostanziata su ciò che si dice e si pensa nella sua città. L'attività diplomatica, se non gli procura oggettivi vantaggi, è una ulteriore esperienza di vita che contribuisce ad arricchire la sua umanità e personalità.

1743 Attende alla *Donna di garbo*, che, però, verrà rappresentata solo nel 1747. Pur trattandosi di una novità — è la prima commedia scritta per intero — essa risulta legata più di altre agli schemi consueti della commedia dell'arte. Perseguitato dai creditori fugge da Venezia e si reca a Bologna e poi a Rimini, dove si aggrega ad una compagnia di comici al servizio degli Spagnoli che combattono in Romagna nella guerra di successione austriaca.

1744 Soggiorna in Toscana. A Firenze ha modo di incontrarsi coi maggiori esponenti della cultura del tempo, quali il Gori, il Lami, il Cocchi ed il Rucellai.

1745 A Pisa riprende con successo la professione di avvocato. La buona accoglienza e la tranquillità dell'ambiente pisano — in questo periodo entra in Arcadia con lo pseudonimo di Polisseno Fegejo — costituiscono un'ottima occasione per approfondire la conoscenza della tradizione linguistica, teatrale e letteraria.
A quest'epoca risalgono *Tonin bella grazia*, *Il figlio di Arlecchino perduto e ritrovato*, *Il servitore di due padroni*.

1747 A Livorno viene rappresentata la *Donna di garbo*. Il capocomico Girolamo Medebach induce Goldoni a diventare suo poeta per il teatro Sant'Angelo di Venezia.

1748, 26 dicembre Prima recita della *Vedova scaltra*. Il commediografo inizia il periodo più fecondo della sua vita, nell'impegno costante di vedere trionfare la riforma del teatro.

1749-1750 Scrive *La putta onorata*, *La bona muger*, *Il cavaliere e la dama*. Dopo la caduta dell'*Erede fortunata* promette solennemente di presentare commedie tutte nuove per il nuovo anno.

1750-1751 Mantiene la parola e fa recitare sedici commedie nuove, riscuotendo un grandissimo successo. Tra queste si devono ricordare: *Il teatro comico*, *La bottega del caffè*, *Il bugiardo*, *Pamela*, *Pettegolezzi delle donne*.
Nasce la rivalità con l'abate Pietro Chiari, poeta del San Samuele. Il pubblico di Venezia si divide tra goldonisti e chiaristi, mentre il governo reagisce con l'instaurazione della censura teatrale.

1752, 26 dicembre Recita della *Locandiera* (secondo l'indicazione contenuta nei *Mémoires*).

1753-1762 Goldoni passa al teatro San Luca, appartenente alla famiglia Vendramin. Il rivale Chiari è assunto al Sant'Angelo. Scoppiano nuove polemiche ed il favore fino a quel momento goduto sembra abbandonarlo. Per venire incontro ai gusti mutati si adatta ad intrecci esotici e romanzeschi, pur non tralasciando la commedia di carattere (cfr. *Il campiello*, del 1756). Nasce così la trilogia costituita da *Sposa persiana*, *Ircana in Jalfa*, *Ircana in Ispahan*. Alle critiche degli spettatori si aggiungono quelle dell'Accademia dei Granelleschi e dello stesso Carlo Gozzi.

1754 Grande successo del *Filosofo di campagna*, con musica del Galuppi, rappresentato al San Samuele, e delle

Massère, in versi martelliani e in dialetto, recitata al San Luca.

1755-1759 Ai teatri veneziani Goldoni alterna per breve periodo quelli di altre città d'Italia: Bologna, Parma (il duca gli concede la patente di *poeta* e una pensione), Roma.

1759-1762 Ritorna al teatro San Luca. Sono gli anni della piena maturità (*Gli innamorati*, *I rusteghi*, *Un curioso accidente*, *La casa nova*, *Sior Todero brontolon*, *Le baruffe chiozzotte*).

Il clima veneziano, comunque, continua ad essere ostile, specialmente per la maligna critica del Gozzi che, nel 1761, porta sulla scena del San Samuele la propria polemica con la fortunatissima fiaba *L'amore delle tre melarance*, in cui sono satireggiati contemporaneamente il Chiari e il Goldoni.

1760 Tramite l'Albergati riceve da Voltaire alcuni versi di elogio (*Aux critiques, aux rivaux / la Nature a dit sans feinte: / «Tout auteur a ses défauts / mais ce Goldoni m' a peinte»*).

1761 Al San Luca è rappresentata la trilogia della *Villeggiatura*.

1762 Dopo la rappresentazione, il 23 febbraio, di *Una delle ultime sere di Carnevale*, Goldoni, che era stato invitato dal *Théâtre Italien*, parte per Parigi. Qui, se da un lato la vita socievole e raffinata e l'accoglienza degli intellettuali destano le sue simpatie, d'altro lato ben difficile si presenta la direzione della *Comédie Italienne*, a causa della riluttanza degli attori nei confronti della riforma. D'altronde il pubblico è ancora legato alla vecchia commedia dell'arte. Goldoni deve perciò ricominciare tutto da capo: prima compone semplici canovacci in cui compaiono le maschere, poi recupera la commedia di caratteri interamente scritta.

1763 Cura rappresentazioni «a soggetto» quali *Les a-mours d'Arlequin et de Camille*, *La jalousie d'Arlequin*, *Les inquiétudes d'Arlequin*.

1764 Va in scena *Camille aubergiste*, rifacimento francese della *Locandiera*; il pubblico non si dimostra soddisfatto.

1765 A Venezia viene recitato *Il ventaglio*, commedia ricavata da un canovaccio apprestato per le scene di Parigi.

1765-1769 Scade l'impegno con la *Comédie*. Diventa maestro di italiano della principessa Adelaide, primogenita di Luigi XV. Pur vivendo alla Corte di Versailles, però, Goldoni non riesce a diventare un vero e proprio cortigiano: il suo carattere glielo impedisce.

1769 Ritorna a Parigi dopo che il re gli ha accordato una modesta pensione annua.

1771 Alla *Comédie Italienne* viene recitato il *Bourru bien-faisant*, opera che riesce apprezzatissima.

1775-1780 Nuovo soggiorno a Versailles, con l'incarico di maestro di italiano delle sorelle di Luigi XVI.

1776 Viene rappresentato con scarso successo l'*Avare fastueux*.

1780 Ritorna definitivamente a Parigi.

1783 Date le ristrettezze economiche (il modestissimo onorario accordatogli dalla Corte non basta certo alle sue necessità) si getta in imprese editoriali che non tardano però a fallire (ad es. un «Giornale di corrispondenza italiana e francese»).

1784-1787 Scrive i *Mémoires pour servir à l'histoire de sa vie et à celle de son théâtre*. Nello stendere le sue memorie Goldoni prova molto piacere; l'opera è stampata presso l'editore Duchesne.

In questo periodo riceve numerose visite da parte di Vittorio Alfieri.

1791 Traduce liberamente l'*Histoire de Miss Jenny*, di M.me Riccoboni, e la fa stampare a Venezia.

1792 Il provvedimento dell'Assemblea Legislativa che abolisce le pensioni concesse dal sovrano viene a colpire Goldoni, che si vede privato dell'unica sicura entrata di cui ormai poteva disporre.

1793, 6 (o 7) febbraio Muore a Parigi. Per ironia della sorte proprio il giorno prima Joseph-Marie Chénier, fratello di André, aveva perorato con successo la sua causa davanti alla Convenzione.

IL GOLDONI A PARIGI

Scritta sul finire del 1764, *Il ventaglio* è la più importante e
nota delle commedie prodotte dal Goldoni durante il suo
soggiorno a Parigi. Nella capitale francese egli era giunto
nell'agosto del 1762, con un contratto biennale che lo lega-
va alla Comédie Italienne. In altra occasione[1] abbiamo
cercato di precisare le ragioni della sua partenza da Venezia, individuandole essenzialmente nell'impossibilità di
proseguire un costruttivo dialogo con la società della sua
città e del suo tempo. Goldoni ha preso ormai le distanze
dalla borghesia di cui ha descritto ed esaltato l'ascesa, se
ne è fatto per qualche tempo critico impietoso, e nel suo
psicologico e fisiologico bisogno di ottimismo ha poi rivol-
to la sua attenzione ad un altro ceto sociale: il popolo mi-
nuto dei popolani e dei pescatori, del tutto emarginato ed
ancora privo di ogni coscienza di classe. Ma così facendo
egli ha spezzato la necessaria omogeneità tra palcoscenico
e pubblico, tra autore e spettatore; alla borghesia che fre-
quenta il teatro egli non ha più nulla da dire, e quel popolo
cui vorrebbe rivolgersi non ha ancora accesso a teatro. La
partenza da Venezia — al di là delle ragioni occasionali, al
di là di ciò che il Goldoni stesso poteva credere o fingere di
credere — è il riconoscimento del vicolo cieco in cui il suo
stesso progressismo, la sua straordinaria lungimiran-

[1] Cfr. L. LUNARI, « L'ultima commedia » di Goldoni, in C. GOLDONI,
Le baruffe chiozzotte, Milano, Rizzoli (BUR), 1978.

za lo ha condotto, in anticipo su ogni concreta possibilità storica.

La meta è Parigi, dove è stato invitato dall'attore Francesco Antonio Zanussi, primo amoroso della Comédie Italienne, per incarico o con l'approvazione del duca di Aumont, Primo Gentiluomo di Camera e Ordinatore degli Spettacoli di Sua Maestà, ad assumere per due anni il ruolo di poeta di compagnia, ovvero di autore stabile. Il viaggio ha un andamento tipico del modo con cui Goldoni prendeva la vita. Parte da Venezia il 22 aprile, assieme alla fedelissima moglie Nicoletta e all'amatissimo nipote Antonio, si reca anzitutto a Ferrara, poi a Bologna, dove una malattia lo trattiene per due mesi. Prosegue per Modena e Reggio, a Parma prende congedo dal duca, che gli aveva assegnato una pensione, fa tappa a Genova a visitare i parenti della moglie, si imbarca per Nizza, visita Marsiglia, Avignone e Lione, dovunque bene accolto dai notabili del luogo, che lo intrattengono in ricevimenti in suo onore e gli offrono occasione di piacevolissime soste.

A Lione trova una lettera dello Zanussi: «una lettera piena di rimproveri, per la verità un po' vivaci, ma non quanto li avrei meritati. L'uomo è un essere inconcepibile, indefinibile; neanch'io saprei rendere conto dei motivi che mi fanno agire a volte contro i miei stessi principi e i miei progetti. Pur con la migliore volontà del mondo di dedicarmi interamente alla questione che mi interessa, non faccio che trovare sul mio cammino delle sciocchezze, delle inezie che mi fermano o mi fanno deviare. Un piacere innocente, una compiacenza onesta, una curiosità, un consiglio amichevole, un impegno senza conseguenze non sono certo abitudini viziose; ma vi sono dei casi, vi sono delle circostanze nelle quali ogni distrazione può essere pericolosa, ed è contro queste distrazioni che io non ho mai saputo garantirmi. La lettera che avevo letto arrivando a Lione avrebbe dovuto farmi partire immediatamente; ma potevo lasciare una delle più belle città di Francia senza darvi un'occhiata? Potevo rinunciare a vedere da vicino quelle manifatture che forniscono all'Europa le loro stoffe e i loro disegni? Scesi ad alloggiare al Parc Royal, e mi ci fermai per dieci giorni. Occorrevano proprio dieci giorni, mi si dirà, per visitare le curiosità di Lione? No; ma non erano troppi per accettare tutti gli inviti a pranzo e a cena che mi venivano fatti da quei ricchi fabbricanti».[2]

Per il 26 agosto, Goldoni è comunque a Parigi. Lo Zanussi è andato ad incontrarlo a Villejuif, accompagnato dalla primattrice Elena Savi. La sera stessa del suo ingresso nella capitale, la Comédie Italienne offre un banchetto in suo onore. Nei giorni seguenti si presenta al duca di Aumont e fa la conoscenza degli attori italiani: Carlo Bertinazzi, detto Carlin, celebre Arlecchino ormai sulla via del tramonto; Antonio Mattiuzzi, detto il Collalto, uno dei migliori attori italiani nella maschera di Pantalone, con cui il Goldoni aveva lavorato nella compagnia di Girolamo Medebach; Rubini (il Dottore) e Ciavarelli (Scapino o secondo Zanni) che completavano il quartetto delle maschere. Poi lo Zanussi e la Savi nei ruoli dei primattori, la *soubrette* Camilla Veronese, che morirà giovanissima nel 1768, Antonio Balletti, ed Anna Maria Piccinelli, che al suo ritorno in Italia sarà detta la Francesina, ammirata da Pietro Verri e cantata dal Parini.[3]

La compagnia degli italiani recitava in una sala di rue Mauconseil, nel sito dell'antico e glorioso Hôtel de Bourgogne; ma dal febbraio di quello stesso 1762 era stata costretta a dividere la propria sede con la compagnia dell'Opéra Comique, genere misto di prosa e di arie cantate che godeva di grande popolarità in quel momento. La notizia di questa novità aveva raggiunto il Goldoni a Lione, durante il suo viaggio; e con il suo consueto ottimismo egli

[2] C. GOLDONI, *Mémoires*, Pt. III, cap. I in C. GOLDONI, *Tutte le Opere*, a cura di G. Ortolani, vol. I, pp. 442-43.
[3] Per le notizie su questi attori, cfr., oltre al GOLDONI, *Mémoires*, cit., pp. 447 e sgg., L. RASI, *I comici italiani*, Firenze 1897-1905 e CAMPARDON, *Les Comédiens du Roi de la Troupe Italienne*, Parigi, 1880.

aveva pensato che i suoi compatrioti, punti nell'onore, si sarebbero sentiti stimolati all'emulazione con i loro colleghi e concorrenti. A Parigi, ha subito modo di constatare come la sala di rue Mauconseil sia pressoché deserta nelle sere in cui recitano gli italiani, mentre trabocca di pubblico nei giorni riservati all'Opéra Comique. Ma neanche questo vale a far sorgere in lui pensieri sconfortanti. Egli attribuisce la disaffezione del pubblico al repertorio degli *italiens*: fatto soltanto «di opere abusate e di commedie a canovaccio, di quel cattivo genere che *egli* aveva già riformato in Italia»;[4] e pensa naturalmente di ripetere la riforma in Francia, ricominciando un'altra volta daccapo, come già gli era accaduto sei anni prima, a Venezia, passando dal Sant'Angelo al San Luca.[5] Darà alle commedie degli italiani «del carattere, del sentimento, un piglio, una condotta, uno stile»; espone le proprie idee alla compagnia riunita, ne riceve l'incoraggiamento degli amorosi e dei caratteri seri, ma anche la disapprovazione delle maschere, poco inclini a subordinare alla precisa scrittura di un autore il loro repertorio di lazzi e di tirate, liberi e gratuiti.

Goldoni chiede comunque quattro mesi di tempo per conoscere i gusti dei parigini e per studiare i mezzi di piacere loro. Puntualmente, per il mese di dicembre, ha pronta una commedia in tre atti, intitolata *L'amor paterno*; ma una serie di circostanze — una malattia della Veronese e un parto della Savi — ne ritarda la prima rappresentazione fino al 4 febbraio. La commedia non ha che sei rappresentazioni, ed un esito mediocre. Ed in effetti si tratta di un'operina di modesta fattura e di modestissimi contenuti, protagonisti le maschere di Arlecchino, di Pantalone e di Camilla, che nella ricerca di un'improbabile veridicità il Goldoni ambienta nella Parigi del tempo. Essa ci riporta di colpo alle primissime fasi della riforma goldoniana, al tem-

---

[4] C. GOLDONI, *Mémoires* cit., p. 449.
[5] Cfr. L. LUNARI, Introduzione, in C. GOLDONI, *La locandiera*, Milano, Rizzoli (BUR), 1976.

po dei *Bugiardelle* e di *Serve amorose*, ma senza la fresca felicità inventiva di quelle opere; e giustamente, se *L'amor paterno* ebbe un mediocre esito a Parigi, incontrò un deciso insuccesso a Venezia, dove non andò oltre la prima rappresentazione.

Per il giugno dell'anno seguente (1763) Goldoni ha pronta un'altra commedia in tre atti — *Il matrimonio per concorso* — che si svolge ancora tra italiani residenti o di passaggio a Parigi, e che è priva delle maschere più anacronistiche. Ebbe buon esito a Venezia, ma quando fu presentata — con il titolo *Le due italiane* — agli attori della Comédie Italienne, questi si rifiutarono di recitarla.[6] Goldoni dovette piegarsi alle ragioni dei comici, rinunciare alle commedie «scritte per intero», ridare ampio spazio e piena autonomia alle maschere. Nel settembre di quello stesso anno mette a punto una trilogia intitolata *Le avventure di Arlecchino e di Camilla*, in cui le qualità e la popolarità del Bertinazzi e della Veronese vengono sfruttate appieno. Le tre parti — *Gli amori di Arlecchino e di Camilla*, *La gelosia di Arlecchino*, e *Le inquietudini di Camilla* — vanno in scena il 27 settembre, il 15 novembre e il 20 dicembre, e costituiscono senz'altro il maggior successo parigino del Goldoni. «La commedia è di grande intreccio» scrive il Goldoni a proposito della prima parte «di gran passione, di gran interesse e molto ridicola... Ma è quasi tutta a soggetto ed appoggiata alle maschere.»[7] Si tratta dunque di veri e propri canovacci, che rappresentano un clamoroso passo indietro nel programma della riforma, e che possiamo leggere nella versione francese pubblicata dal Des Boulmiers.[8] Il Goldoni tuttavia trasse da questi

[6] Cfr. C. GOLDONI, *Tutte le Opere* cit., vol. VIII, pp. 1297-298, e vol. XIV.
[7] Cfr. la lettera del Goldoni al Vendramin in data 11 ottobre 1763, in C. GOLDONI, *Tutte le Opere* cit., vol. XIV, pp. 299-300.
[8] In *Histoire anecdotique et raisonnée du Théâtre Italien*, Parigi 1770. i tre canovacci sono pubblicati in C. GOLDONI, *Tutte le Opere* cit., vol. VIII, pp. 1311 sgg.

scenari tre commedie senza maschere, e scritte per intero, che l'anno seguente furono presentate a Venezia, al teatro di San Luca, tra il novembre del '64 e il gennaio del '65, con il titolo de *Gli amori di Zelinda e Lindoro*, *La gelosia di Lindoro*, *Le inquietudini di Zelinda*, e con tale insuccesso da non superare complessivamente le otto rappresentazioni.

Il successo parigino della Trilogia di Arlecchino e Camilla stabilì il *modus operandi* del Goldoni durante il suo biennio alla Comédie Italienne. Per questo teatro stendeva dei canovacci con le maschere, dai quali poi traeva, per il pubblico veneziano, commedie scritte per intero, con personaggi realistici. Dal *Ritratto di Arlecchino* nacquero così *Gli amanti timidi*; da un *Ventaglio* con protagonisti Arlecchino e Camilla nacque *Il ventaglio* che conosciamo, da un *Arlecchino ingannato e vendicato* nacquero *La burla retrocessa nel contraccambio* e *Chi la fa l'aspetta*. Goldoni tentò anche un'operazione inversa ma perfettamente analoga; e nientemeno che dalla *Locandiera* trasse un canovaccio intitolato *Camilla albergatrice*.[9]

È singolare — ma del tutto logico — che l'esito veneziano di queste commedie fosse spesso inversamente proporzionale al successo dei corrispondenti canovacci presso il pubblico parigino. Le commedie che più rispondevano alle esigenze delle maschere della Comédie Italienne e del loro pubblico, erano quelle che peggio tolleravano il peso di una scrittura realistica, e viceversa. *La Locandiera* ridotta a canovaccio è una ben pallida occasione per le maschere, così come il tema di *Arlecchino ingannato e vendicato* è un meccanismo troppo elaborato e contorto per una trattazione realistica e psicologica. Scrivere le stesse cose per un

[9] Un riassunto in francese del canovaccio del *Ritratto d'Arlecchino*, pubblicato da Cailhava a Parigi nel 1772 (*De l'art de la Comédie*) si trova in C. GOLDONI, *Tutte le Opere* cit., vol. VIII, pp. 1334-335; e lo stesso dicasi per *Arlecchino ingannato e vendicato* (pp. 1345-346). Non ci è pervenuto invece il canovaccio francese del *Ventaglio*.

teatro riformato e per un teatro da riformare era un'impossibile quadratura del cerchio, e con il successo della Trilogia di Arlecchino e di Camilla, vengono bruciati tutti i lati positivi e tutte le possibilità della nuova situazione. Alla scadenza del biennio, l'impegno del Goldoni con la Comédie Italienne non venne rinnovato, né egli fece nulla perché lo fosse. Nel febbraio del 1765 è nominato maestro di lingua italiana della principessa Adelaide, e l'idea di un suo ritorno in Italia si fa di giorno in giorno sempre più illusoria; da quel momento in avanti scriverà essenzialmente nella lingua del paese in cui vive: *Le bourru bienfaisant*, *L'avare fastueux* e soprattutto i *Mémoires*, miracoloso frutto della sua vecchiaia, unico indiscusso capolavoro del suo trentennale soggiorno francese.

IL FALLIMENTO DELLA « RIFORMA »
ALLA COMÉDIE ITALIENNE

La riforma tentata dal Goldoni in Francia fu dunque un fallimento, ma per motivi più profondi e sostanziali di quelli che si invocano a volte; quali l'età avanzata del Goldoni stesso, o l'opposizione sorda e pigra degli attori. In realtà, essa rappresentava un programma impossibile da un punto di vista logico, sociologico e storico.

Abbiamo visto come la Comédie Italienne fosse disertata dal pubblico, e come il duca d'Aumont le avesse imposto di dividere la propria sede con gli attori dell'Opéra Comique. Questo provvedimento non faceva che sancire l'inarrestabile decadenza degli italiani, né del resto poteva essere altrimenti. La commedia dell'arte, giunta a Parigi nei primi anni del XVII secolo, vi si era imposta per la straordinaria e virtuosistica qualità del suo stile recitativo, per la robustezza genuina del suo carattere popolare, per la vita e la fantasia che testimoniava. Centocinquant'anni dopo, completamente avulsa dalle fonti della sua ispirazione, la Comédie Italienne non rappresentava più che la vuota ripetizione di una pagliacciata priva di senso. Sopravvviveva come una colonia che, lontana dalla madrepatria, conservi usi e costumi privi di ogni residua ragion d'essere, fossilizzati e sordi all'evolversi dei tempi. Le maschere, che Goldoni aveva riformate e abolite, riconducendole a rappresentare persone e tipi della realtà contemporanea, si erano cristallizzate alla Comédie Italienne nei protagonisti di un teatro puramente convenzionale, che sopravviveva in vitro, come i principi russi sulla Costa Azzurra dopo la rivoluzione sovietica, o come quelle orchestrine ungheresi che ancor oggi si trovano magari a Las Vegas, ma che sarebbe altamente infruttuoso cercare in Ungheria.

Questo teatro poteva anche continuare a prosperare, in Francia, finché si fosse espresso nel linguaggio elementare ma universale del gesto, e finché il pubblico avesse accettato le varie convenzioni necessarie ad una sommaria comprensione dello spettacolo. Ma la riforma del Goldoni presupponeva un ben preciso rapporto tra teatro e società. Che senso poteva avere una commedia di carattere o di costume, psicologica e realistica, ispirata alla realtà contemporanea, nata e recitata in italiano a Parigi? Quali che fossero le speranze e le illusioni dell'uomo Goldoni, il Goldoni drammaturgo era troppo poeta e troppo realista per non cadere vittima di questa impossibilità.

Paradossalmente, ma non troppo, i Bertinazzi e i Collalto che si limitavano a chiedere al Goldoni dei canovacci da riempire di lazzi, respingendone le proposte di riforma, avevano ragione: l'unico teatro italiano possibile a Parigi era pur sempre il vecchio teatro delle maschere, perlomeno finché si fossero trovati parigini disposti a dedicare una sera di tanto in tanto a quella esotica bizzarria.[10] Ma un

---

[10] Cfr. i *Mémoires* in C. GOLDONI, *Tutte le Opere*, cit., vol. I, p. 449: «Misi al corrente delle mie idee i miei attori. Gli uni mi incoraggiavano a dar corso al mio piano, gli altri non mi chiedevano che farse: i primi erano gli Amorosi, che desideravano commedie scritte, gli altri erano gli attori comici, che, abituati a non imparare mai niente a memoria,

teatro realistico, psicologistico e di costume, che parlasse degli uomini e della società del tempo, non poteva che esprimersi in lingua francese. E non a caso, la migliore tra le commedie che il Goldoni scrisse a Parigi sarà proprio quel *Bourru bienfaisant* che la Comédie Française — e non la Italienne — porterà ad un clamoroso successo nel 1771.

Abbiamo accennato alle illusioni dell'uomo Goldoni, ma anche alla sua incoercibile onestà di poeta realista. La sua produzione parigina è la precisa testimonianza dello straordinario accanimento, dell'acrobatica fantasia, della molteplicità di espedienti con cui egli cercò di conciliare il *tema dato* con le proprie intime esigenze. Ed ecco ad esempio le prime due commedie (*L'amor paterno* e *Il matrimonio per concorso*), ambientate tra italiani residenti o di passaggio a Parigi; come a trovare una giustificazione realistica al fatto di presentare a Parigi un'opera recitata in italiano. Ma, ovviamente, non si può creare una letteratura avendo ad oggetto un caso che, per quanto verosimile, è pur sempre un caso eccezionale. Ed è evidente, ancora, il suo tentativo di usare il linguaggio quanto meno possibile, in modo di abbassare cioè il grado di comprensione dell'italiano richiesto allo spettatore; ed ecco pertanto l'accento spostarsi dai personaggi alle cose, dal dialogo all'azione,

avevano l'ambizione di brillare senza darsi la pena di studiare». La spiegazione è però del tutto superficiale ed esteriore: le ragioni delle maschere rispondono in fondo perfettamente alle esigenze della situazione, illustrata dall'italianista Meslé in una «Lettera» al Goldoni del 10 novembre 1762: «Una delle contraddizioni più grandi dello spirito umano, è senza dubbio la disposizione differente, nella quale ci troviamo alle due Commedie di Parigi. Ci presentiamo alle Italiane con un altro gusto, altri occhi, e quasi un'altra anima che alle Francesi. Si direbbe esservi un talismano alle porte de' due Teatri, il quale nel momento che vi posiamo il piede ci trasforma e ci cambia, senza che possiamo avvedercene. Si applaudisce nell'uno ciò che si accoglierebbe con le fischiate nell'altro. E tutta la naturalezza, tutta l'Arte, tutto lo scherzo e piacevolezza del Préville e del Dangeville, non ci renderebbono in minima parte tollerabile ciò che i Carlini e le Camille ci fanno provare di gustoso». (Cfr. la lettera pubblicata per intero nei Documenti e giudizi critici a p. 48.)

dai conflitti psicologici ai meccanismi degli eventi. È certamente un dato esteriore, ma non può essere privo di significato il fatto che mentre al tempo della riforma in Italia le opere del Goldoni evidenziavano nel titolo le persone (dalla *Donna di garbo* al *Padre di famiglia*, dal *Vero amico* alla *Figlia obbediente*, dall'*Avvocato veneziano* al *Filosofo inglese*), le commedie del periodo parigino hanno in molti casi titoli o sottotitoli che pongono a protagonisti le cose o i meccanismi; come ad esempio *Il matrimonio per concorso*, *La burla retrocessa nel contraccambio*, *L'imbroglio dei due ritratti*, e naturalmente *Il ventaglio*. È evidente la ricerca — o comunque l'adozione — di temi che permettano una trattazione realistica e verosimile, senza dover far troppo parlare i personaggi, senza cioè ricorrere a quelle analisi psicologiche e sociologiche che rivelerebbero in tutta la sua ampiezza il distacco tra il palcoscenico in cui le cose vengono dette e la società cui vengono rivolte. Per quanto sollevate ad un gusto, ad una misura di superiore livello, si rimane qui pur sempre nella logica del canovaccio, con la preminenza dell'intreccio e del movimento, e i personaggi usati come pedine dell'azione, caratterizzati al più da piccoli manierismi o tic nervosi. E questo, anche senza contare il fatto che noi leggiamo queste commedie nella versione preparata per le recite veneziane: versione nella quale — oltre alla sostituzione di Arlecchino e Camilla, di Pantalone e Scapino, con nomi e cognomi realistici — doveva pur verificarsi uno spostamento d'accento verso il teatro riformato.

Anche se questa curiosa situazione interessa solo una piccolissima parte della produzione del Goldoni, essa ebbe conseguenze assai gravi per quello che riguarda la sua considerazione successiva. Essa avallò, infatti, in Francia l'immagine di un Goldoni semplice ammodernatore della commedia dell'arte, più che riformatore del teatro europeo. L'importanza della riforma non era sfuggita agli italianisti come il Meslé, né a rari spiriti eletti quali il Voltaire; ma nel mondo della critica teatrale e del teatro attivo l'immagine che si impose fu essenzialmente determinata da quanto il Goldoni aveva fatto in Francia. «Gli italiani» scriveva nella sua *Correspondance littéraire* del 1º settembre 1764 il Grimm «e il signor Goldoni in particolare danno superiore importanza a ciò che essi chiamano *l'imbroglio*; le loro commedie sono dei capolavori in questo genere, per il quale occorre molto spirito, finezza e inventiva.» Tuttavia... «non è questa la buona commedia: qui non vi è né ritratto di caratteri né ritratto di costumi».[11] A modificare questa errata opinione — in cui cadde anche Denis Diderot, in uno dei rari infortuni della sua vigile intelligenza — non potevano bastare il *Bourru bienfaisant* o l'*Avare fastueux*, nei quali lo studio del carattere si serve più della tradizione teatrale che non dell'osservazione della realtà. È questa, del resto, una caratteristica costante del teatro del Goldoni nel suo ultimo e lungo periodo francese: dei due libri che egli affermava aver sempre studiato — quello del Mondo e quello del Teatro — la lontananza da Venezia, dalla sua gente e dalle fonti della sua ispirazione, non gli ha lasciato che il secondo.

IL VENTAGLIO

Tipica espressione della drammaturgia goldoniana del periodo parigino, anche *Il ventaglio* nasce come scenario per gli attori della Comédie Italienne. Rappresentato in questa veste il 27 maggio 1763, ebbe un esito assai inferiore alle aspettative del suo autore, forse perché «troppo inviluppata per l'abilità di questi comici».[12] Nulla sappiamo di questo scenario, se non che vi erano «quattro personaggi francesi», e che Crispino e Giannina erano certamente interpretati dal Bertinazzi e dalla Veronese, nelle loro maschere di

[11] Lettera del 13 giugno 1763 a F. Albergati: in C. GOLDONI, *Tutte le Opere* cit., vol. XIV, p. 287.
[12] Cfr. C. GOLDONI, *Tutte le Opere* cit., vol. VIII, p. 1336.

Arlecchino e di Camilla. La commedia nella veste che conosciamo fu composta l'anno seguente, e spedita al Vendramin nel novembre per essere rappresentata al San Luca.

«Questa è una gran Commedia, è una gran Commedia,» scriveva il Goldoni «perché mi ha costata una gran fatica, e una gran fatica costerà ai comici per rappresentarla. Fatica d'attenzione, di qualche prova di più; ma queste sono quelle Commedie che fanno brillare il talento e l'abilità dei Comici. Voi capirete cosa è in leggendola, ma lo capirete meglio figurandovi di vederla in Scena. N'avete veduto di simili: per esempio il *Filosofo Inglese*, il *Campiello*, le *Baruffe Chiozzotte*, ma questa è la più legata di tutte, ed osservate il legamento de' personaggi, che da un atto all'altro sono sempre concatenati, né mai resta un momento la Scena vuota. Non ho distinto le scene, secondo il solito, perché sarebbero tante che si avrebbe raddoppiato la carta. Il colpo d'occhio della prima Scena, la Scena muta del terzo atto, e il gioco perpetuo di tutte le parti della Scena e di tutti i personaggi, secondo me, sono cose, che dovrebbero far bene... Raccomandate che facciano diverse prove. Tutto dipende dall'esecuzione.»[13]

Al San Luca *Il ventaglio* andò in scena il 4 febbraio del '65, e vi ebbe sette rappresentazioni consecutive con buon successo di pubblico. Pubblicato per la prima volta nel 1789, nel quarto volume dell'edizione Zatta, ebbe successo abbastanza costante per tutto l'Ottocento, anche se dovettero svantaggiarlo sia la difficoltà dell'allestimento, sia la mancanza di un vero e proprio protagonista. In epoca moderna, un celebre allestimento fu quello diretto da Renato Simoni in campo San Zaccaria a Venezia, nel 1936 e nel 1939. La critica letteraria — vittima di una complessa serie di pregiudizi[14] considerò *Il ventaglio* nel ristretto no-

[13] Cfr. C. GOLDONI, *Tutte le Opere* cit., vol. XIV, p. 327, lettera a S. Sciugliaga del 27 novembre 1764.

[14] Cfr. L. LUNARI, Dall'abate Chiari a Giorgio Strehler, in C. GOLDONI, *Il Campiello*, Milano, Rizzoli (BUR), 1975.

vero delle migliori commedie del Goldoni. «*Il ventaglio*» scrive il Momigliano «è fra le cose migliori del Goldoni per l'agilità inesauribile delle complicazioni, per la densità e la rapidità dell'azione. Mancano quasi affatto le chiacchiere... La ridicolezza della caccia al ventaglio cresce col proceder dell'azione... L'interesse è tutto in questa ricerca, che svela la piccineria d'un ambiente. Dato quest'indirizzo, si capisce che in generale i personaggi presi a sé abbiano poco rilievo... Non è un difetto: chi guarda al complesso di un'azione, non può conoscere a fondo nessuno degli attori, ma può rilevare il significato psicologico di quell'azione. Così ha fatto il Goldoni; e per questo il *Ventaglio* è un capolavoro.» [15]

Ma è lecito chiedersi quanto il Goldoni — che nei *Mémoires* non dà spazio alcuno né allo scenario per la Comédie Italienne, né alla versione per il San Luca — avrebbe gradito questo complimento. Il suo teatro migliore è stato sempre, vivaddio, un teatro di «chiacchiere», intese ovviamente come necessario veicolo dei conflitti drammatici, come elementi necessari alla definizione dei personaggi. Anche le altre commedie che egli stesso cita — dal *Filosofo inglese* alle *Baruffe chiozzotte* — e che si reggono su un meccanismo d'incidenti poco meno raffinato e complicato di quello del *Ventaglio*, si guardano bene dal dar «poco rilievo» ai personaggi. In realtà, anche per *Il ventaglio* si potrebbe dire ciò che il Grimm aveva detto degli *Amanti timidi*: alla vivacità e alla complessità dell'azione, magistralmente architettata, vengono sacrificati sia un vero e proprio studio di caratteri, sia un'approfondita analisi del costume. E questo poteva soddisfare in massimo grado tutti coloro che hanno sempre respinto, in qualche modo, i contenuti umani e sociali del Goldoni, per ammirarne essenzialmente l'artigianale abilità di costruttore e l'innocua vivacità del dialogo; ma non può impedire a noi, oggi, di

[15] A. Momigliano, *Storia della letteratura italiana*, Messina-Milano, 1938, p. 323.

ravvisare nel *Ventaglio* un gioco teatrale del tutto fine a se stesso. Invano il Momigliano avanza l'ipotesi che «la ridicolezza della caccia al ventaglio... *sveli* la piccineria d'un ambiente», sortendo un qualche effetto di critica sociale. In realtà, l'ambiente è l'adeguata cornice delle avventure del ventaglio; gli sconquassi provocati da questo autentico protagonista fanno in tutto e per tutto parte di una precisa convenzione, che coinvolge ambiente e persone solo in quanto hanno a che fare con il ventaglio; e sono evidentemente destinati a risolversi felicemente alla fine. Il ventaglio, in altri termini, viene assunto come postulato: ma tutto ciò che ne nasce, nel contesto sociale in cui viene calato, non coinvolge quel contesto più di quanto l'ipotesi di una terza guerra mondiale — anche sviluppata ad libitum — coinvolga la realtà in cui viviamo. Evaristo e Geltruda, il Conte di Rocca Marina e Crespino, non sono personaggi completi e complessi, ma semplici e funzionali abbozzi che posseggono solo quel tanto di caratterizzazione necessario allo sviluppo della vicenda: che ha per l'appunto bisogno della galante devozione di Evaristo, del perbenismo prudente di Geltruda, dell'alterigia impicciona del Conte, di un innamorato come Crespino, e via dicendo. Ma anche sotto questo profilo, naturalmente, il teatro di Goldoni offre ben altri esempi di nobili alteri ed impiccioni, di vedove prudenti e perbene, di innamorati combattuti tra amore e gelosia, eccetera eccetera.

Ma se lasciamo da parte criteri d'analisi e metri di giudizio che l'esiguità del *Ventaglio* non può reggere, la commedia ci può apparire un interessante esempio di quella drammaturgia minore cui il Goldoni fu obbligato dalle circostanze, e da quello che abbiamo chiamato il «tema dato»: scrivere cioè commedie a canovaccio, che sarebbero state recitate in italiano per un pubblico ignaro della lingua. Ed ecco dunque il ruolo del protagonista assunto da un oggetto, visibile e tangibile; ecco i personaggi caratterizzati anche e soprattutto dai gesti che compiono o dagli

abiti che indossano (l'oste, la merciaia, il conte, il calzolaio, la vedova); ecco le notizie sui personaggi e i loro sentimenti affidati a semplici enunciazioni: « Ah, è tardo il suo
avvertimento. Sono innamorata quanto mai posso essere »
(Atto I, scena II) è tutto ciò che Candida ci dice del suo a-
more; « Lo conosco che c'entra della passione » (id.) espri-
me tutti i sospetti di Geltruda su Evaristo.

È questa quella mancanza di « chiacchiere » che al Momigliano pareva gran titolo di merito, e che è invece soltanto un abilissimo buon viso fatto a cattivo gioco. In un testo
teatrale sono semmai chiacchiere le didascalie, che spesso
denunciano soltanto l'inadeguatezza espressiva della parola parlata; e *Il ventaglio* è infatti una delle commedie del
Goldoni in cui più abbondano le didascalie, che giungono
a comporsi in un vero e proprio sfogo virtuosistico nella
scena di pura azione con cui si apre il terz'atto. E vi abbondano anche gli « a parte », che rappresentano pur sempre il
modo più sbrigativo per l'espressione di concetti e sentimenti che dovrebbero invece emergere da un più coerente
uso del dialogo. Ma la mancanza di « chiacchiere » significa-
ca soprattutto che la commedia non è costruita su un
ben postulato conflitto drammatico, ma su un complicato
meccanismo di azioni tenuto in vita e alimentato da una
serie di qui pro quo tanto vari, ripetuti, insistiti da perdere
ogni carattere di verosimiglianza.

Basterebbe questa osservazione a chiarire quanto lon-
tani siamo qui dal vero teatro del Goldoni, fatto di personaggi, di costumi, di parola, di verosimiglianza. È qui più
che mai — come abbiamo detto più sopra — che si squili-
bra e si corrompe la perfetta dicotomia delle fonti di ispirazione del Goldoni: lontano dal suo mondo, costretto a
parlare ad un *altro* mondo, il solo comune denominatore
con il suo nuovo pubblico è « il libro del teatro ». Ed è veramente stupefacente — e drammatico — notare con quanta
abilità, con quanta coerenza, con quale rigore di risultati,
Goldoni rinuncia alla propria esperienza di riformatore

per costruire una commedia tutta di oggetti, di azioni, di didascalie, di *a parte*; in modo che — subordinati al meccanismo — i personaggi non abbiano mai né il tempo né il bisogno di *parlare*, né mai esigano un approfondimento psicologico e sociologico; e in modo dunque che mai venga palesata l'impossibilità logica e storica di una *vera* commedia del Goldoni — di carattere e di costume, ispirata al libro del mondo oltre che a quello del teatro — pensata, scritta e presentata a Parigi.

Rinuncia alla propria esperienza di riformatore, abbiamo detto, ma non contraddizione dei princìpi della riforma. Momenti di pura azione, in cui il gioco teatrale predomina su ogni altro motivo di interesse, con i suoi *a parte* e le sue didascalie, abbondano nelle opere del Goldoni; ma — per l'appunto — come « momenti », come occasioni eccezionali e limite, in un contesto in cui predomina giustamente l'interesse per la psicologia dei caratteri e i costumi della società. Nel *Ventaglio*, invece, questi « momenti » diventano il tutto; ma come nelle altre opere del Goldoni il momentaneo prevalere del puro gioco teatrale non contraddiceva certo i dati psicologici e l'osservazione del costume, così non li contraddice l'assoluta egemonia che lo stesso gioco acquista nel *Ventaglio*: semplicemente li accantona, li evita, vi scivola in mezzo come in uno slalom, o — meglio — li riduce ad una dimensione assolutamente elementare, monocellulare, molecolare, in modo che ogni battuta, ogni scena, ogni scontro dialogico contiene sì una verità psicologica, ma talmente ridotta e tautologica da non poter costituire un'utile informazione: più che una verità, è una non-bugia, più che un'informazione è un'ovvietà: è come un mattone isolato che non può essere utilizzato per costruire alcunché.

Meccanismo d'orologeria, dunque, di affascinante esattezza, animato da macchiette che non sono caratteri, e che valgono non come individui ma come rotelle dell'ingranaggio. Tuttavia, il fatto che esse *non contraddicano* l'osservazione psicologica o sociologica, basta già a porre *Il ventaglio* su un piano diverso da quello delle tante opere ad *imbroglio*, in cui il virtuosismo del meccanismo si risolve in una violenza alla logica, in uno stravolgimento della verità psicologica, nella gratuita invenzione di un mondo che non deve nulla all'osservazione del reale. Può anche non essere eccessivo affermare che il Goldoni realizza qui un'operazione di straordinaria lungimiranza storica: assume il canovaccio in ciò che esso ha di più utile e positivo, lo spoglia di ogni eccesso e di ogni contraddizione, lo consegna al futuro come una gradevole struttura, non certo in grado di sopportare acute analisi psicologiche o di costume, ma sufficientemente credibile per un intelligente *divertissement* sopra le righe. Con un'alcova al posto del ventaglio, e un generoso pizzico di pepe, questa stessa struttura la ritroveremo un secolo dopo nella migliore *pochade* di Feydeau e di Labiche.

UN'ULTIMA OSSERVAZIONE

Un'ultima osservazione, di carattere contingente, a mo' di istruzione per l'uso. *Il ventaglio* è — nella scuola italiana — una delle commedie che più vengono fatte leggere agli studenti, da parte di professori interessati al teatro. Le ragioni di questa preferenza si rifanno più o meno direttamente a quelle di cui abbiamo fatto cenno più sopra, parlando della fortuna critica del *Ventaglio*. Si tratta dunque di ragioni ampiamente superate, e che da sole dovrebbero ora bastare a rivedere quella posizione di favore: tuttavia, se a conclusione di queste note affermiamo l'inopportunità di una lettura del *Ventaglio* nelle scuole, non è tanto per la sua scarsa rappresentatività degli autentici valori del Goldoni, quanto per il predominarvi di valori strettamente scenici che non solo corrono il rischio di non essere colti alla lettura ma che minacciano addirittura la lettura di farsi faticosa e inconcludente. Per queste ragioni *Il ventaglio* si raccomanda invece per un vero e proprio esperimento di allestimento scenico: il suo carattere corale, la mancanza di troppo impegnative prime parti, la ricchezza del movimento e delle controscene, il gioco degli ingressi e delle uscite, la stessa profusione degli *a parte* ne fanno un'occasione ideale per la scoperta e la conoscenza del gioco scenico e le leggi e i segreti del teatro.

LUIGI LUNARI

PREMESSA AL TESTO

Al pari di molte altre commedie goldoniane anche *Il ventaglio* si configura come una storia d'amore di scontato lieto fine. La scena si svolge a poche miglia da Milano, in un borgo campagnolo, le Case Nuove. Nella viuzza principale si affacciano le botteghe più importanti del villaggio, ed in esse i personaggi esercitano le occupazioni giornaliere: la spezieria (Timoteo), la caffetteria (Limoncino), la merceria (Susanna), l'osteria (Coronato), la calzoleria (Crespino). Sulla strada dà pure la casa di Giannina, giovane contadina del luogo, e di Moracchio, suo fratello, nonché la palazzina della Signora Geltruda, venuta a far campagna con la nipote Candida. Le due borghesi non sono le sole a trovarsi per diletto nella pace della vita rustica: c'è anche il Signor Evaristo, borghese lui pure, e due nobili, il Barone del Cedro ed il Conte di Rocca Marina.

Evaristo, innamorato di Candida, giacché costei, nell'alzarsi in segno di rispetto al suo sopraggiungere, ha fatto cadere il proprio ventaglio e l'ha rotto, sentendosi responsabile del piccolo incidente decide di donargliene uno nuovo. Lo compera dalla Signora Susanna, senza dire, però, a chi è destinato, ed incarica Giannina di consegnarlo segretamente all'amata. Ma c'è chi equivoca e crede che la destinataria sia la contadina, del resto ambita come sposa da Crespino e da Coronato e, anzi, promessa a quest'ultimo da Moracchio, sebbene la giovane preferisca il primo. Perciò l'oste ed il calzolaio, oltre che essere gelosi l'uno dell'altro, hanno motivo di sospettare Evaristo. Quando il

fatto viene alle orecchie di Candida grande è la sua disperazione: ella, per ripicca, si risolve all'istante di sposare il
Barone, che si era dimostrato non insensibile alle sue grazie. Non è più necessaria, così, la consegna del ventaglio
ed esso viene donato — questa volta per davvero — a Giannina dall'innamorato deluso. Moracchio, però, esige che la
sorella lo dia a lui: non viene ubbidito e il ventaglio è affida-
to a Crespino, che è ben lesto a darsela a gambe; ma Coronato e Moracchio gli sono addosso e, dopo un concitato
inseguimento, l'oste si impossessa dell'insolito pomo della
discordia. La vittoria è comunque di breve durata: calma-
tesi le acque Crespino approfitta di un momento di disat-
tenzione ed il ventaglio ritorna nelle sue mani.

Nel frattempo Evaristo spiega il malinteso con Candida
e costei gli accorda il suo perdono a condizione che le sia
consegnato finalmente il regalo; ma di questo si sono perdute le tracce e Giannina non è di molto aiuto. Per di più il
ciabattino, temendo complicazioni per sé, lo ha donato al
Conte e questi lo ha ceduto a sua volta al Barone, il quale
vuol farne un presente proprio a Candida. A sbrogliare la
matassa è il Conte che chiede in restituzione il ventaglio;
esso è riconsegnato ad Evaristo che, dopo tante peripezie,
lo può dare all'amata. Il matrimonio è stato così salvato.
Ma la fine della commedia non vede soltanto l'epilogo delle vicende avventurose dei due giovani borghesi: si sono
dissipate le nubi anche tra Giannina e Crespino e pure loro, sotto la «protezione» del Conte stesso, possono alla
fine sposarsi.

I PERSONAGGI

1) *Osservazioni di carattere sociologico*

Microcosmo della più vasta umanità i personaggi del *Ventaglio* sono raggruppabili nei classici tre stati: i *Nobili*
(Barone del Cedro e Conte di Rocca Marina), i *Borghesi*

(Evaristo, Geltruda, Candida e, in fondo, Susanna e Timoteo), i *Popolani* (tutti gli altri). Non si può dire che essi non abbiano ben radicata la consapevolezza della propria condizione sociale: su tale particolarità è interessante fissare brevemente l'attenzione. La nobiltà compare nei suoi due aspetti tipici: da un lato troviamo lo spiantato borioso (il Conte), dall'altro il titolato ancora ben provvisto di rendite (il Barone); ma, come sempre nelle commedie di Goldoni, essa, ridotta a buffa caricatura di ciò che era stata un tempo, ne esce malconcia e rimpicciolita. A non voler considerare la petulanza un po' arrogante del Conte, il Barone, più compassato e dignitoso, non brilla di certo, e subisce uno scacco bruciante giacché le sue proposte matrimoniali sono respinte da una borghese che preferisce alle ricchezze e all'onore di un titolo solo le prime, quasi a significare che la nobiltà, vuoto nome ormai, non le importa. Evaristo, d'altronde, gode della medesima vita agiata dei nobili e, anzi, si diletta con un divertimento una volta soltanto a loro riservato, la caccia. Essi, dal canto proprio, non disdegnano di averlo al loro tavolo e di accettarne i regali.

Ma anche il popolo sa riconoscersi e ritrovarsi. Giannina sposa Crespino: sarebbe stato abnorme, contro natura quasi che lei, una contadina qualunque, aspirasse ad un signore ricco come Evaristo, altrettanto assurdo quanto un matrimonio tra Candida ed il Barone; non è dunque unicamente l'orgoglio di donna ferito a indurla ad esclamare: «... A me un affronto? A una giovane della mia sorte?» (Atto II, scena XI): si tratta piuttosto della buona fede di chi è consapevole della propria innocenza perché incontaminato dalle affettazioni di un'esistenza «civilizzata» e perciò più incline all'ipocrisia ed al sotterfugio. È così che le differenze di stato si complicano con un acuto senso della diversità tra vita rustica ed urbana: «Povero sciocco — commenta Giannina a proposito di Evaristo — si fida dell'amore d'una giovane di città! Non sono come noi, no, le cittadine!» (Atto II scena XII). Battuta del resto parallela

33

a quell'altra di Candida: «Ingrato! Infedele! E perché? Per una villana.» (Atto II, scena II). La situazione non sfugge nemmeno al buon senso della Signora Susanna, conscia, sì, di ritrovarsi un gradino più su dei popolani, ma anche certa di essere confusa, abitando alle Case Nuove, con «quelle che vendono il latte, l'insalata, e le ova» (Atto II, scena I).

Per concludere, se proprio si vuole stabilire chi siano i vincitori e chi i vinti, la bilancia pende a vantaggio della borghesia e del popolo a scorno dei nobili, inutili ed ingombranti. Borghesi e popolani, abituati a guardare con diffidenza a tutto ciò che pare loro superfluo e vano, accettano non senza una punta di orgoglio la propria condizione sociale, che, in linea di massima, li spinge ad essere attivi, anche se, nella commedia, Evaristo, Geltruda e Candida sono colti in un momento di riposo, la villeggiatura.

2) *Analisi dei personaggi*

IL SIGNOR EVARISTO. Ricco borghese, gli piace intrattenersi coi nobili ed è appassionato di caccia. La situazione nella quale si trova — è innamorato di Candida — lo cristallizza nel ruolo dell'*amoroso*, ed è proprio la sua galanteria a mettere in moto la vicenda. Ne risulta una figura estremamente convenzionale, come si può rilevare anche dal linguaggio da lui usato, quello appunto dell'*amoroso* vecchio stile e vecchio repertorio, che va dal semplice «... sono in un mare di agitazioni di confusioni» (Atto II, scena XIII) alle più complesse frasi melodrammatiche e tragicomiche quali: «Quanto meglio saria per me che terminasse questa misera vita!» (Atto III, scena VIII) o, addirittura: «Sì, per giustificarmi presso dell'idol mio, farei sagrifizio del mio sangue medesimo...» (Atto III, scena X). Lo svenimento provocato dalla disperazione segna l'apice della convenzionalità del personaggio.

LA SIGNORA GELTRUDA. È la zia di Candida. Si tratta di

una borghese di città, vedova senza figli dall'ottima posizione economica, dal momento che il marito le ha lasciato una cospicua eredità, parte della quale è decisa a sacrificare per costituire la dote alla nipote (Atto II, scena V). Si dimostra una donna attenta e piena di buon senso, anche se appare, specialmente al Barone, eccessivamente noiosa («Troppa dottrina, troppo contegno, troppa sufficienza.» Atto I, scena I), incline com'è agli «sdottoramenti». Quando Candida decide improvvisamente di concedere la propria mano al Barone, subito Geltruda si insospettisce (Atto II, scena VII) e, pur non opponendosi alla volontà della nipote, svolge per conto suo qualche indagine, non tardando a scoprire la verità (Atto III, scena I), che, del resto, aveva intuito già da un pezzo (Atto I, scena II).

La signora Candida. Creatura fragile, si presenta come la tipica *amorosa* della vecchia commedia, anche se, linguisticamente parlando, usa pochissime espressioni melodrammatiche («Morirò, ma morirò vendicata» Atto II, scena VIII, e «...Siete un'indegna, e non deggio e non posso più tollerarvi» Atto II, scena IX). Il suo carattere dolce inclina alla melanconia, ed è la sola tra tutti i personaggi a lasciarsi andare ad una espressione sentimentale e veramente sincera: «Povera me, se lo trovassi infedele! È il mio primo amore. Non ho amato altri che lui» (Atto II, scena II). Perciò lo svenimento provocato dalla visione improvvisa di Evaristo (Atto II, scena XVI) risulta più convincente di quello del giovane che si verifica un poco più tardi, pur rientrando nel repertorio classico delle *amorose* sconvolte dal dolore e dalla passione.

Il Barone del Cedro. Figura meno comicamente sbozzata del Conte, il Barone rappresenta la nobiltà non ancora decaduta, anche se ormai gli agi di cui gode sono simili a quelli dei borghesi, dai quali si distingue unicamente per il blasone. Un po' più colto del suo «collega» titolato (Atto III, scena I), ha una maggiore dignità ed uno spiccato amor proprio, tanto che non esita a sfidare a duello il Conte per un piccolo sgarbo, lasciandogli, beninteso, la scelta delle armi (Atto II, scena X e XI). Nel complesso si dimostra abbastanza comprensivo — restituisce senza difficoltà il ventaglio — ma la condotta dell'altro aristocratico, una volta saputa la verità, lo disgusta profondamente (Atto III, scena ultima).

IL CONTE DI ROCCA MARINA. Tipico esempio del nobile decaduto, non gli rimane che la propria albagia — dà a tutti della bestia! — insieme col titolo. In base a questo vorrebbe elargire, a chi lo può ripagare in qualche modo, la sua «protezione», ma ad ognuno è chiaro quanto essa valga. Pur non essendo in floride condizioni economiche — abita in una specie di catapecchia poco fuori del paese ed ha alle dipendenze un servitore tuttofare — si guarda bene dall'occuparsi di qualche attività lucrativa, anzi, ha parole di rimprovero per Crespino e Timoteo che si guadagnano il pane l'uno battendo le tomaie, l'altro pestando i medicinali in un mortaio: così facendo essi gli impediscono e gli turbano lo svago della lettura (Atto I, scena I). La sua cultura, comunque, non è molto vasta — si diverte con le favole francesi ritenendole superiori ai libri di filosofia, storia e poesia (Atto I, scena III) — e sa un po' di latino, che sfoggia al momento opportuno (Atto II, scena VI). Naturalmente si gloria dell'amicizia col Barone, nobile più di lui e, soprattutto, ricco, ma in fondo suo «collega», come ama ripetere (Atto II, scena IV). Da vent'anni il gentiluomo di campagna non sfodera più la spada, ed è felice che il duello al quale ha rischiato di partecipare si concluda vantaggiosamente per lui: gli vengono donate due pistole che, una volta vendute, gli potranno fruttare qualche spicciolo (Atto II, scena XI). Com'è ovvio le sue mediazioni finiscono in un fiasco: Candida non sposa il Barone e Giannina non sposa Coronato, ma il senso dell'opportunismo e l'abilità nelle macchinazioni gli impediscono di rimetterci: ormai sono al sicuro i barili che l'oste gli aveva procurato per il suo interessamento e, l'aver chiesto al Barone il ventaglio, che pure gli aveva regalato per farsi bello ai suoi occhi, ha la sua contropartita: una tabacchiera d'oro del valore di cinquantaquattro zecchini regalatigli dal generoso Evaristo (Atto III, scena X).

TIMOTEO, SPEZIALE. Vera e propria macchietta Timoteo è lo speziale del paese, sempre pronto ad accorrere qualora se ne presenti il bisogno, sia quando c'è nell'aria una rissa (Atto I, scena V) sia quando si tratta di rianimare chi è svenuto (Atto II, scena XVI e Atto III, scena VIII), i suoi interventi finiscono sempre in modo comico: sberteggiato dal Conte, a gambe per aria tra fiale e boccettine in un parapiglia generale, impotente davanti agli isterismi di Candida, preso in giro dal redivivo Evaristo che stava per subire da parte sua un pericoloso salasso. Se la sua scienza non è molto vasta — comunque è capace di confezionare le pillole (Atto I, scena V) — lo sostiene sempre un solido buon senso paesano: i veri rimedi, checché ne dicano i saccenti, rimangono «acqua, china e mercurio», «cardini della medicina» (Atto III, scena II).

GIANNINA, GIOVANE CONTADINA. È la più vivace fra tutti i personaggi, eccezion fatta per il Conte. Innamorata di Crespino, si trova coinvolta nell'affare del ventaglio che, per incarico di Evaristo, dovrebbe consegnare di nascosto a Candida. Personalmente, poi, è costretta a condurre la sua piccola guerra su due fronti, incalzata com'è dal calzolaio e dall'oste, che, forte dell'appoggio di Moracchio, fratello della ragazza, e della «protezione» del Conte, la vorrebbe in moglie.

Il suo carattere brioso e scanzonato ricorda da vicino l'atteggiamento di Colombina, una delle più significative maschere della vecchia commedia. Per lei i titoli nobiliari non hanno valore (Atto II, scena VI) e, offesa, è capace di difendersi da sé, non soltanto contro i popolani, suoi pari grado (Atto II, scena XIII), ma anche contro aristocratici e borghesi (Atto II, scene VI e IX). La giovane è ben lieta quando, alla fine, riesce a sposare Crespino, sottraendosi al dispotismo di Moracchio. A condurla a ciò è stata senza dubbio anche la sua tenacia e la sua indole giustamente ribelle ad ogni sopruso nella consapevolezza della propria onestà e buona fede.

LA SIGNORA SUSANNA, MERCIAIA. È la merciaia chiacchierona e pettegola delle Case Nuove, colei che vende il famoso ventaglio ad Evaristo e che equivoca sulla sua effettiva destinazione. Ha di sé un'alta opinione dal momento che è stata educata in città, ma ciò costituisce anche il suo cruccio, poiché si sente sprecata a dover vivere e commerciare in campagna (Atto II, scena I).

CORONATO, OSTE. Il suo comportamento è sempre rozzo ed il suo amore poco convincente. Non esita a venire alle mani con Crespino (Atto I, scena IV, Atto II, scene XV e XVI) e, deciso ad usare tutti i mezzi per conseguire lo scopo, sacrifica volentieri qualche barile del proprio vino per indurre il Conte ad appoggiare le sue richieste di matrimonio (Atto I, scena V). Ma si capisce fin dal primo atto che il suo destino è segnato e che non riuscirà mai a sposare Giannina.

CRESPINO, CALZOLAIO. Innamorato di Giannina diventa per ciò stesso il naturale avversario di Coronato, al quale contende l'amore della giovane senza esclusione di colpi. Diffidentissimo, non ha più pace dopo che le male lingue hanno cominciato a parlare di una tresca tra Evaristo e la ragazza. Del resto lui stesso ha assistito ad un colloquio che poteva essere mal interpretato. La giovane, però, si guarda bene dal narrare la verità allo spasimante, godendo di lasciarlo nell'incertezza (Atto II, scena XIII). Questi, dal canto suo, è incrollabile nel suo amore, anche a dispetto delle apparenze.

MORACCHIO, CONTADINO, FRATELLO DI GIANNINA. Figura secondaria, spicca unicamente per la sua rozzezza nei confronti della sorella Giannina (Atto I, scena I), che vorrebbe maritare a Coronato. Ma la sua autorità, messa in discussione dalla giovane, non riesce ad imporre un matrimonio detestato.

LIMONCINO, GARZONE DI CAFFÈ. Simile a Timoteo per il carattere macchiettistico che assume, egli svolge abilmente la propria attività di garzone di caffè, buono e servizievole purché non lo si chiami col suo buffo soprannome (Atto I, scena I, Atto III, scena IV). Pronto ad intervenire quando ci siano da menar le mani (Atto I, scena V), si presta a far entrare nel suo giardino, confinante con quello della Signora Geltruda, Evaristo, mantenendo il segreto (Atto III, scena IV), e gli presta soccorso quando il giovane vien meno (Atto III, scena VIII).

TOGNINO, SERVITORE DELLE DUE SIGNORE; SCAVEZZO, SERVITORE D'OSTERIA. Non hanno un ruolo vero e proprio e compaiono solo fugacemente sulla scena.

LA LINGUA DELLA COMMEDIA

Anche per quanto riguarda l'aspetto linguistico *Il ventaglio* presenta una peculiarità: la commedia abbonda di termini e di espressioni italiane ricalcate sul francese. La ragione, naturalmente, è da ricercarsi nella terra di origine dell'opera, tenuto conto del fatto che Goldoni non è un purista e che perciò tanto più facile e spontanea doveva riuscirgli la massiccia immissione di francesismi in un lavoro che fino ad un certo segno si presentava come traduzione, oltre che adattamento, di un non meglio identificato canovaccio redatto in francese. Si deve comunque tenere presente che il fenomeno, al di là del dato biografico relativo all'Autore, trova collocazione in un più ampio contesto, giacché con la *civilisation* della Francia si esportava in tutto il mondo anche la sua lingua, che diveniva obbligatorio segno di distinzione nell'alta società europea. Una traccia è ravvisabile nel *Ventaglio* stesso, allorché il Conte rivolge la parola alla Signora Geltruda usando un «Oui Madame» quanto mai alla moda (Atto II, scena V).

LE FONTI DEL «VENTAGLIO»

È opportuno segnalare, per quanto riguarda la trovata di un ventaglio che, per un momento almeno, mette a soqquadro la vita pacifica di un paese intero, il precedente costituito da *Le cerimonie* di Scipione Maffei (1728). Senonché in Goldoni si tratta di un oggetto di poco prezzo, nel Maffei, invece, è un ventaglio di «novissima invenzione» a combinarne di tutti i colori, fino ad impedire un matrimonio che stava per aver luogo.

Per il resto, a parte qualche azione scenica di altri autori che si svolge intorno a cose inanimate, la commedia va considerata alla luce dell'anteriore produzione goldoniana, la sola che possa esaurientemente giustificarla e costituire una assodata fonte. Si scopre così che *Il ventaglio*, come commedia d'intreccio, si pone accanto a due altri capolavori dello stesso tipo, il *Servitore di due padroni* e il *Figlio d'Arlecchino perduto e ritrovato*, quasi a continuarne il medesimo filone, con una caratteristica, però, la scomparsa delle maschere e la loro sostituzione con personaggi popolareschi, maggiormente aderenti alla vita quotidiana.

Non nuova è la coppia di innamorati che si crea da sola difficoltà a non finire, ma, soprattutto, non nuovo è il Conte, che già si è conosciuto nella *Locandiera*, al punto che viene da chiedersi se non si tratti in realtà di quel Marchese di Forlipopoli che, nobile decaduto, vive di ripieghi col comico sussiego di un aristocratico. Persino l'episodio in cui egli dona il ventaglio al Barone trova il suo parallelo nell'altra commedia, allorché una boccetta d'oro, scambiata per vile princisbec, viene regalata a Deianira dal Marchese, che crea con la sua leggerezza sconsiderata un piccolo pasticcio.

LA FORTUNA DEL «VENTAGLIO»

Dell'esito che ebbe in Italia la commedia dopo che l'Autore la spedì al fedele Sciugliaga non siamo perfettamente informati. L'unico dato certo in nostro possesso è che in data 4 febbraio 1765 i Notatori Gradenigo riportarono la seguente notizia: «Nel Teatro appresso San Giovanni Grisostomo, il titolo della Commedia fu *Il ventaglio*, venuto da Parigi, composizione nuovissima del poeta Carlo Goldoni, che oggi soggiorna in Francia». Dal *Diario Veneto* si viene a sapere che, dopo la prima, si ebbero cinque successive repliche il 6, 7, 8, 9 e 10 febbraio. A rigore, dunque, anche se non si trattò di un trionfo, non sembra sia il caso di parlare di insuccesso, come invece si sono ostinati a ribadire tanti critici sulla scorta di gratuite affermazioni settecentesche. Senonché il fatto che la commedia sia stata stampata piuttosto tardi (1789, edizione Zatta e altre) non ha giovato alla sua diffusione; si tenga presente, inoltre, che durante il periodo rivoluzionario e napoleonico Goldoni fu scarsamente rappresentato. Una ripresa si ebbe dopo il 1815, ed è da tale data che si può notare un rinnovato interesse per *Il ventaglio*. Eppure, a paragone con altri lavori dello stesso autore, il numero delle recite è sempre stato esiguo. La causa dell'apparente contraddizione — l'opera piaceva e non mancava mai di suscitare gli entusiasmi tra gli spettatori — va ricercata nelle difficoltà che essa presenta: una buona esecuzione richiede troppe prove. In compenso questa commedia d'intreccio che vede ben quattordici attori avvicendarsi sulla scena ha sempre attirato le simpatie delle accademie filodrammatiche, i cui cimenti, ora modesti ora di buon livello, hanno contribuito alla sua costante diffusione. Né vanno dimenticate le imitazioni e le traduzioni, che sono divenute sempre più numerose col passare del tempo. Di natura analoga si possono considerare gli allestimenti delle rappresentazioni eseguite all'estero che, seguendo una tendenza insita nell'arte della regìa, hanno l'aspetto di veri e propri rifacimenti. Un esempio tipico è la recita russa del *Ventaglio* (1914) curata dal Tairov, che, «seguace delle teorie novecentiste del teatro "puro", (...) diede una interpretazione di gusto ballettistico ed astratto, in cui il lavoro goldoniano appariva unicamente un pretesto per i virtuosismi degli attori».[1] Si noti infine che proprio lavori come *Il ventaglio*, il quale mostra sulla scena numerosi popolani ed offre un'immagine immediata e fresca della vita, hanno incontrato stupefacente favore nei paesi dell'Europa orientale, più di altri attenti ai problemi sociali, in allineamento con l'ideologia dominante nella sfera d'influenza sovietica.

Da ultimo, per una esatta comprensione delle vicende teatrali della commedia, non si può fare a meno di ricordare il giudizio negativo che ne dà Giorgio Strehler, uno dei più affermati e validi registi di opere goldoniane, al quale si deve, tra l'altro, il merito di avere riproposto al pubblico, con grande e duraturo successo, l'*Arlecchino servitore di due padroni* e *Le baruffe chiozzotte*. Egli critica *Il ventaglio* definendolo «odioso» in quanto il suo congegno funziona «come un orologio svizzero di precisione» in cui «l'autore ci fa sapere quanto è abile il meccanismo che ha montato perché scatti all'ora giusta». E al paragone con un'altra commedia d'intreccio, *Le baruffe, Il ventaglio* non regge, una volta assunta come indice di validità estetica non la capacità di predisporre abilmente gli eventi, ma la scelta, tra le tante, di alcune situazioni soltanto, che però diventano «assolutamente straordinarie per virtù di

[1] N. MANGINI, *La fortuna di C.G. e altri saggi goldoniani*, Firenze, 1965. pp. 42-43.

poesia»: ad affascinare è la «ineluttabilità delle cose che si muovono ora in un modo ora in un altro» e non la consumata — e troppo scoperta — abilità in se stessa, quale è dato, appunto, riscontrare nell'opera in esame.[2]

TRADUZIONI DEL «VENTAGLIO»

Si rimanda chi volesse prendere visione dell'elenco completo di tutte le traduzioni del *Ventaglio* a N. MANGINI, *Bibliografia goldoniana 1908-1957*, Venezia-Roma 1960, pp. 127-163, e all'aggiornamento, sempre a cura di N. MANGINI, contenuto nel quaderno n. 3 degli *Studi goldoniani* edito dalla «Casa di Goldoni», Venezia, 1973, pp. 178-187. Qui basti osservare che il capolavoro goldoniano non solo è stato tradotto nelle principali lingue europee (catalano, ceco, francese, inglese, olandese, polacco, rumeno, russo, sloveno, spagnolo, tedesco, ungherese), ma anche in cinese (trad. di Yen Chün-Chien, Pechino, Ed. Teatrali cinesi, 1957) ed in giapponese trad. di Ikuma Arishima, in *Italia Koten Kindai Gekishu*, cioè *Raccolta di drammi classici moderni italiani*, Tokio, Sekai Gikyoku Zenshu Kankokai, 1928).

Nella mostra bibliografica curata dal prof. Nicola Mangini in occasione del centenario goldoniano del 1957 (Venezia, Palazzo Grassi), le traduzioni del *Ventaglio* esposte alla curiosità del pubblico erano le seguenti: *El vano*. Traducció de Narcis OLLER, Barcelona, libr. «L'Avenç», 1908 (Biblioteca Popular de «L'Avenç», n. 86); *The fan*.

---

[2] G. STREHLER, «*Le baruffe chiozzotte* di G. Unità di tempo delle *Baruffe*», saggio (del 1964) contenuto in *Per un teatro umano. Pensieri scritti, parlati e attuati*, Milano, Feltrinelli, 1974, p. 241; si veda anche, nel volume *Le baruffe chiozzotte*, Milano, Rizzoli (BUR), 1978, uno stralcio del medesimo scritto da noi riportato nella sezione *Documenti e giudizi critici*, pp. 70-71, e, per quanto riguarda Strehler e Goldoni, *ibidem*, pp. 71-72 nonché *Arlecchino servitore di due padroni*, Milano, Rizzoli (BUR), 1979, pp. 64-68.

Translated for the Yale University Dramatic Association
by Kenneth McKenzie with an introduction, New Haven,
Hubbard, 1911 (cfr. AA.VV. *Carlo Goldoni dalle maschere alla commedia*, Venezia 1957, pp. 84-88).

IMITAZIONI E RIFACIMENTI

Non è difficile rinvenire sia in Italia che all'estero imitazioni più o meno immediate e palesi del *Ventaglio*. Ne diamo
qui un breve elenco. Augusto Bon, nella prima metà del-
l'800, trasforma il ventaglio in un anello, l'*Anello della
nonna*. Della commedia goldoniana si ricorda il Bersezio
nella *Bolla di sapone*; il ventaglio si cambia in *grillo* con
Augusto Novelli, mentre pare che parecchi lavori di Gia-
cinto Gallina si ricordino del precedente di Goldoni. Un
cappello di paglia sostituisce ancora una volta il ventaglio
in una commedia d'intreccio di Eugenio Labiche; più ade-
rente all'originale — non muta l'oggetto — è l'*Attaché* del
Meilhac. Il ventaglio diventa simbolo della civetteria femminile nell'omonima fatica di Cavaillet e De Flers, e senza
ombra di dubbio *Les pattes de mouche* di Sardou, buon
conoscitore del teatro goldoniano, ha tratto direttamente i-
spirazione dal Nostro. Complice d'adulterio si fa invece
un ventaglio — ma siamo in pieno decadentismo — con O-
scar Wilde, il cui *Lady Windermere's fan* è ancora oggi
uno dei lavori teatrali più seguiti e rappresentati.

Non sempre numerose ed esaurienti sono le notizie in
nostro possesso circa i vari adattamenti ad opera lirica. Si
sa comunque che il poeta melodrammatico Gaetano Rossi
rimaneggiò *Il ventaglio* per Giuseppe Farinelli e che l'o-
pera venne rappresentata nel 1803 al *Nuovo* di Padova. I-
noltre Domenico Gilardoni approntò una riduzione per il
musicista romano Pietro Raimondi. Questa, rappresentata la prima volta al *Nuovo* di Napoli nel carnevale del
1831, ebbe fortuna e non mancò di venire apprezzata

anche in seguito. Giannina è diventata per l'occasione *Palmetella* e la sua vicenda di popolana ha riscosso tanto interesse da indurre il Raimondi a scrivere addirittura un seguito, *Palmetella maritata*. Né manca una parodia ad opera di Filippo Cammarano, *Li appassionati de lo ventaglio*, in cui è lasciato spazio anche al dialetto napoletano.

DOCUMENTI E GIUDIZI CRITICI

I

Allo scopo di chiarire con un documento le difficoltà di fronte alle quali si era trovato Goldoni a Parigi riportiamo la «Lettera del Signor Goldoni al Signor Meslé» (2 novembre 1762). Essa ha come oggetto contingente la presentazione de *L'amore paterno* al pubblico della capitale francese, ma tocca un problema più generale e proprio per questo ci pare il caso di prenderla in considerazione. Ad essa si fa seguire la risposta dello stesso Signor Meslé.

Eccomi, Signor mio, alla vigilia di esporre per la prima volta a questo pubblico una mia Commedia. Questa è una cosa, che ho di lontano moltissimo desiderata, e che ora da vicino mi fa tremare. Voi siete un buon conoscitore del Teatro, voi lo amate e lo frequentate, e vi è nota la difficoltà d'incontrare con un tal genere di produzioni. A me piucché agli altri si rende malagevole un tale impegno, e per lo mio scarso talento, e per la situazione in cui mi ritrovo. Non nego di essere stato fortunato in Italia, e di aver acquistato con poco merito maggior onore di quello mi si doveva, ma ciò è derivato dalla miseria in cui languivano i Teatri del mio Paese, ed il poco che ho fatto mi ha valuto per molto. Ora sono in Parigi, dove il valoroso Molier gettati ha i semi della vera Commedia, e dove tanti felici ingegni l'hanno sì ben coltivata ed adorna. Un popolo sì illuminato per natura, per educazione, e per genio, avvezzo alle più brillanti e alle più regolate rappresentazioni, non averà per me l'indulgenza de' miei parziali compatrioti: ed ecco la ragione del mio timore, che amareggia ogni mia contentezza. Ma vano è ormai ogni mio pensamento. Mi sono lasciato adulare dalla speranza: ho ceduto al cortese invito.

L'amor proprio mi ha consigliato, mi ha qui condotto. Sono nel grande impegno e deggio adempierlo come posso.

Oltre ai disavvantaggi del mio talento, ho quello ancora di una lingua straniera. Non so scrivere assolutamente Francese, ma quando anche il sapessi, io deggio scrivere per degli Attori Italiani. Il maggior onore della Commedia Italiana è ch'ella stata sia ricevuta in Francia, e tuttavia si mantenga stipendiata dal maggior Monarca del Mondo, e ben veduta dalla più colta Nazion dell'Europa. Considero non pertanto, che le Commedie rappresentate in Parigi finora dagl'Italiani sono state meramente giocose, e che l'abilità delle Maschere ha prodotto di esse il maggior bene e il miglior effetto. Io sono ammiratore di tali valentissimi Personaggi. Lodo ancor io lo spirito e la franchezza de' nostri attori, che si distinguono da tutti gli altri del mondo nell'improvviso, e sono persuaso, che non si abbia a perdere interamente un sì bel privilegio della nostra Nazione, ma io ho fatto l'uso di scrivere le Commedie diversamente, ed ho seguitato, come ho potuto, le tracce de' migliori Maestri. So che pochissimo ho profittato, ma pure non so staccarmi dal mio sistema. Darò di mal cuore, e per compiacenza, delle Commedie *a soggetto* se ne vorranno, ma per la prima ch'io deggio esporre, non ho coraggio di farlo.

Voi, Signor mio, che per bontà vostra v'interessate per l'onor mio, giustamente mi avete fatto considerare, che una Commedia intieramente scritta in favella Italiana non sarà intesa in Parigi comunemente. Il riflesso è verissimo: molti intendono l'Italiano, ma non già tutti, e tutti quei che concorrono ad un tale spettacolo, hanno ragion di voler intendere. So per altro qual sia l'ingegno vivace e pronto degli Francesi, e so che poco basta per farli intendere. Se meno mi fidassi del loro ingegno, o avrei lasciato di scrivere, o avrei stampata la mia Commedia colla traduzione in Francese, ma nel primo caso avrei mancato al mio debito, e nel secondo avrei mostrata troppa temerità. Ho scelta la via di mezzo, ho formato un estratto della Commedia, ho reso conto in esso di ciò che si tratta di scena in scena, ho pensato di farlo mettere in vostra lingua e di pubblicarlo, e son sicuro che il poco che leggeranno, servirà agli uditori esperti per far loro intendere il dialogo, l'interesse e l'intreccio. Ho di bisogno per questo di un traduttore, ed ecco, Signor mio, la ragione per cui vi spedisco gli annessi fogli.

Voi che mi amate, Voi che intendete l'Italiano sì bene, come il Francese, voi che compiaciuto vi siete di tradurre qualche altra opera mia, traducete, vi supplico, ancora questa, e datele quell'aria di semplicità e di chiarezza, che io non avrò saputo adoprare. Le prove di sincera amicizia che mi avete date sinora, mi assicurano della vostra condescendenza, ed io vi avrò un debito infinito, e sarò sempre, quale con vera stima e rispetto vi assicuro di essere

Vostro Umilissimo Obbligatissimo Servitore
GOLDONI

TRADUZIONE DELLA LETTERA DEL SIGNOR MESLÉ IN RISPOSTA A QUELLA DEL SIGNOR GOLDONI

Parigi 10 Novembre 1762.

Vi trasmetto, Signore, la traduzione del vostro Estratto, la quale però, malgrado de' particolari che vi siete preso il pensiero d'inserirvi, non rappresenterà che una idea imperfetta della vostra Commedia. Vi confesso, che se non dopo averla interamente letta sul manoscritto da voi affidatomi, ne ho potuta ravvisar la bellezza. Me ne avea, è vero, l'Estratto indicato il Soggetto e la condotta, ma non me ne avea dimostrata la finezza, la vivacità e tutto il gustoso del Dialogo, non lo scherzo, la forza e l'interesse delle Passioni, l'unione e il giusto proposito delle Scene, che la Commedia intera mi ha fatto conoscere.

Del resto ho conservato, per quanto il gusto della nostra lingua ha potuto concederlo, il vostro ordine e le espressioni vostre, negli squarci soprattutto di Poesia. Ma riguardo a questa ho creduto che non farebbe la prosa a sufficienza comprendere ai Francesi, che non intendono l'Italiano, l'armonia e bellezza de' vostri Versi; e come ho temuto nel tempo medesimo che la schiavitù della rima non mi slontanasse dal vosto Originale, sfigurandone i vostri sentimenti, ho abbracciato il partito di mettere in Versi sciolti il Sonetto, la Cantata e il Madrigale, seguendovi verso per verso, ed impiegando, per quanto è stato possibile, gl'epiteti stessi e la misura medesima da voi usata. Desidero di tutto cuore, che questa Traduzione vi rechi altrettanto piacere, quanto ne ho provato io nel farla; e mi stimerò sempre ben fortunato, quando la mediocre conoscenza che ho di vostra lingua, mi porgerà l'occasione d'esservi utile; la quale, vi prego instantemente, di farla nascere sovente: poiché è ben dovere, che tutto quello che so d'Italiano, lo impieghi per voi, mentre a voi solo ne son debitore, e soltanto leggendo voi, ho conosciute ed amate le bellezze di questa lingua, e fattovi qualche progresso. Non intendo già farvi qui un inutile complimento; ho per mallevadore di mia sincerità M. di Voltaire, quegli che in Francia può giudicare meglio di tutte le cose. Scrive egli, in non so che parte, che facea imparar l'Italiano sulle vostre Commedie alla pronipote del gran Cornelio, la qual tiene appresso di sé, come vi è noto.

Del resto, Signore, la particolare stima che questo grand'uomo fa di voi e delle Opere vostre, le pubbliche testimonianze che ne ha dato in prosa e verso; i caratteri principali, e il fondamento, per così dire, delle vostre Commedie che gl'Autori nostri non sdegnano trasportar ben sovente con successo sopra il Teatro Francese, l'accoglienza da noi ultimamente fatta a due delle vostre Commedie recitate successivamente sul Teatro Italiano, la prima i vostri *Pettegolezzi*, ridotta in francese col titolo: *Le Ciarle*, e la seconda il vostro *Figlio d'Arlecchino perduto e ritrovato* recitata in Italiano, le traduzioni di più altre, e l'ardore generale col quale son qui ricercate le vostre Commedie, tutto finalmente deve scacciar da voi quel timore che la modestia vostra nella vostra Lettera mi dimostra, e convincervi ben più di quello possa io dirvi, che voi non siete in verun conto straniero in Francia. Il vostro talento vi ci ha da lungo tempo naturalizzato, e niuna cosa potrà più farvi perdere una riputazione sì ben stabilita e sì giustamente fondata sopra un numero tanto prodigioso di eccellenti Commedie.

Ma supponendo ancora che la Commedia che siete per dare in Parigi, non riesca come avrebbe fatto in Italia, non bisognerebbe per ciò né disperarsene per l'avvenire, né farsene maraviglia. Il Teatro pel qual voi scrivete, e quelli che lo frequentano, assuefatti non sono, per quello almen che riguarda la maniera Italiana, alla finezza, regolarità e condotta che voi tenete, a' quali pregi avete saputo ricondurre i Teatri del Paese vostro (di cui il Teatro Italiano di Parigi è l'immagine in tal genere). Avete bandito da voi, come l'accenna ancora M. di Voltaire, le burlette insipide, e quelle villane sciocchezze che gli disonoravano, ma si ritengono ancora fra noi. Per l'infelice abito che noi abbiamo di ridere, forse le nostre orecchie e i nostri occhi non s'accomoderanno a questo Teatro immediatamente a un comico semplice, naturale, ragionevole, ma nobile e interessante, e spogliato di tutto quel risplendente apparecchio, che accompagna ben sovente alcune delle nostre Commedie Italiane.

Schiavi di queste insipidezze, noi lo siamo ancora delle maschere dalle quali vi ha liberato il vostro spirito. Le avete fatte dimenticare in Italia, ma senza esse sarebbono abbandonate in Francia le Commedie Italiane. È ben facile però di concepire, quanto quest'antico e ridicolo costume abbia recato di nocumento all'arte dell'Attore, e al piacere dello Spettatore. Se l'Anima è la sede delle Passioni, la faccia ne è il quadro, e le sue espressioni sono sempre più vere, più eloquenti e più pronte, che quelle della voce e del gesto. Quanto più essere può tenuta alla scoperta, tanto più l'Attore che abbia spirito ha mezzi a render verisimili le sue situazioni, e d'ingombrarne lo Spettatore. Interroghiamo su questo i nostri gran Tragici, i *Lekain*, i *Brizard*. S'intenderà ben da essi come fremano, quando la legge del costume gli constringe a portare elmi, e turbanti, che loro nascondono la fronte, perché allora l'Arte loro non può interamente svilupparsi, essendo loro necessaria la parte anche più minima della faccia a ben esprimere ciocché sentono. Non vi ha Commedia alcuna, per ridicola che sia, che non si trovi suscettibile delle passioni stesse della Tragedia, se ne eccettuiamo qualche piccol divario: ma senza far parola della gioia, del timore, del dolore e del piacere, della collera, e di tutti gli altri sentimenti, che appartengono ugualmente all'anima che al volto, io qui non parlo che degli effetti, che unicamente dipendono dalla faccia, come l'arrossire, l'impallidire ecc., si può questo ravvisare sotto la Maschera? Non si ride sempre forse con una sghignazzata ironica e disprezzante, quando si sente che Arlecchino deve arrossire, o impallidire? L'impossibilità evidente di conoscerlo toglie immediatamente l'interesse, e tolto via l'interesse, qual piacere resta alle persone ragionevoli? So benissimo che bisogna si faccia lo Spettatore più d'una volta una falsa imagine di molte cose, ma bisogna almeno che a fianco dell'errore vi sia un poco di verità, e che l'illusione non divenga acciecamento. Ora a qual grado non si divien cieco per considerare Arlecchino con la sua orrenda maschera quasi una giovine e vaga Principessa, come bisogna supporlo in alcune Commedie Italiane?

Una delle contradizioni più grandi dello spirito umano, è senza dubbio la disposizion differente, nella qual ci troviamo alle due Commedie di Parigi. Ci presentiamo alle Italiane con un altro gusto, altri occhi, e quasi con un'altra anima che alle Francesi. Si direbbe esservi un talismano alle porte de' due Teatri, il quale nel momento che vi posiamo il piede ci trasforma e ci cambia, senza che possiamo avvedercene. Si applaudisce nell'uno ciò che si accoglierebbe con le fischiate nell'altro. E tutta la naturalezza, tutta l'Arte, tutto lo scherzo e piacevolezze del *Préville* e del *Dangeville*, non ci renderebbono in minima parte tollerabile ciò che i Carlini e le Camille ci fanno provare di gustoso. Né bisogna, come credo, cercar le ragioni di questa contradizione, se non che nella assuefazione, e vi è ben noto, che riguardo a ciò lo spirito è più difficile a risanare che il corpo. È qualche tempo che ho riconosciuto in Arlecchino, in Pantalone, e in tutti quelli che formano a Parigi la Scena Italiana, non solamente ciò che chiamasi buon Arlecchino e buon Pantalone, ma eccellenti Comici, e Attori pieni di spirito e di talento. Non mi sdegno pertanto con i Comici Italiani sulla decadenza della Italiana Commedia; gli credo per lo contrario moltissimo al caso di secondare le viste di un abile Riformatore che intraprendesse di trarci fuori dall'oscurità e da' trattenimenti puerili: ma mi sdegno col nostro gusto che sono obbligati di compiacere, e col costume che sono tenuti di seguire.

Avrete voi adunque a combattere i progressi dell'assuefazione e del pregiudizio per farci conoscere il prezzo delle vostre Commedie Italiane, che non s'accostano che nell'Idioma a quelle che qui si recitano d'ordinario; è ben vero che dovrete appagare e gli Spettatori, e gli Attori, che assuefatti a non aver parti scritte nelle Commedie Italiane, e in conseguenza a non imparare a mente, saranno essi ancora obbligati ad una fatica insolita, e non avranno sul principio nel presentarsi quella facilità e quella naturalezza, che fanno dimenticare l'Autore e l'Attore, per non lasciar vedere che il Comico Personaggio. Credo però che vi sia un sol mezzo per voi a superare tutti questi ostacoli, ed è, che non abbiate che il vostro discernimento per guida, non assoggettandolo a delle idee straniere, e inalzandoci a voi, anzi che dobbiate voi discendere fino a noi; in una parola comporre in Francia, come avete fatto in Italia, e imitando la natura, che in ogni dove è la medesima. Secondo me, non v'è via di mezzo.

Perché se vorrete unire il vostro metodo al nostro, formerete de'
mostri, che non piaceranno né a voi, né a noi. Né già dico questo
riguardo al vostro *Amor Paterno*, ove avete saputo con un fortunato sforzo dell'Arte conservare l'usata vostra maniera, pren-
dendo un tuono francese e familiarizzandovi con il carattere de'
nostri Attori, e avete adottata la nostra maniera nobile e delica-
ta, non già la nostra Italiana, e fattolo con una naturale facilità.
La soggezione, lo sapete meglio d'ogn'altro, non è per l'opere di
spirito, e perché avrete a temere di dare al vostro tutta la sua forza? Avete sovente veduto, da che siete a Parigi, l'accoglienza
fatta al *Figlio d'Arlecchino*, e al patetico di questa Commedia,
che esce dalla maniera ordinaria dell'altre Italiane nostre. Segui-
rà lo stesso in tutti i sentimenti che vorrete dipingere, quando lo
farete con quell'arte che è propria solo di voi. Molto male giudi-
chereste di noi, immaginando di non poterci far gustare presto o
tardi delle Commedie, come sono le vostre, estratte dal sen medesimo della Natura, della quale siete giustamente appellato il fi-
gliuolo, Commedie che interessano per l'intreccio, muovono co'
sentimenti, piacciono nel Dialogo, e divertono a motivo delle
spiritose piacevolezze che nascono dalle cose, non dalle parole,
sorprendono per le situazioni, instruiscono con la morale, soddi-
sfano nello scioglimento, e che in una parola più s'accostano alle
nostre buone Commedie Francesi, che alle nostre Farse Italiane.

M'appello di ciò non solo a quelli che hanno veduto rappresentare le Commedie vostre, ma eziandio a quelli che non hanno
fatto che leggerle, o nella lingua originale, o nelle traduzioni che
di alcune di esse sono state fatte. Fra le cento dodici Commedie
da voi composte, senza contare le vostre Opere Comiche, che
pur non son poche, sono persuaso che ve ne abbia molte, le quali
nelle mani, non dico d'un Autore, ma solamente d'un uomo
intelligente qualche poco del Teatro, e a quello affezionato, po-
trebbono con i cangiamenti, che necessariamente esigono i nostri costumi, e le leggi del nostro Teatro, meritar l'onore della
Scena Francese.

Perciò inviterei, se mi si presentasse l'occasione, gli Autori
tutti e le persone di gusto, le quali non hanno cognizione delle vostre Opere, a convincersi, con la nuova e bella edizione che voi
ne fate attualmente, di ciò che dico, e a porlo in esecuzione, felice
di potere almeno con ciò contribuire in qualche cosa all'onore
del primo Teatro dell'Universo.

E sarebbe rendergli un gran servizio, come alla Nazion tutta, d'accrescere un poco il ricco e superbo fondo che ne ha, il quale, benché eccellente, ogni giorno più si consuma, e dimanderebbe altre novità Comiche che quelle continuamente si veggono. Le traccie di Molière son ormai perdute, e la vera Commedia è andata in dimenticanza; abbondiamo di vizi, e di cose degne di riso, ma non abbiamo buoni Pittori per ricopiarle, o almeno sono rari, e i loro pennelli lentissimi. Son necessari molti anni per vedere uscir alla luce una Commedia degna di tal nome, e della posterità; e si crede al presente averne fatta una buona, quando si sono abbozzati alcuni ritratti, e cuciti insieme alla rinfusa con degli insipidi madrigali, con delle massime triviali, dove si ravvisa, è vero, sempre lo sforzo, la fatica, e talora lo spirito, ma non mai il discernimento. Eppure questo solo è quello che fa la buona Commedia o la buona Tragedia, più che lo spirito, ed io paragonerei ciò al Generale e al Soldato. Il primo è fatto per concepire, combinare, prevedere e ordinare; il secondo poi per operare ed eseguire. Il buon Generale concepisce bene, il buon Soldato eseguisce meglio. Ecco il discernimento, e lo spirito.

Sentirete forse spacciar per tutto, e leggerete ancora in alcuni moderni abbozzi un sistema che vi sorprenderà. Pretendesi che Molière e i suoi successori abbiano tutto messo in opra, e che i difetti e le debolezze degli uomini siano le medesime, ma bensì i gusti sieno cambiati, e che finalmente non si sappia più ridere. Non lo crederete, e avrete ragione. E ciò che avete fatto vi convincerà di ciò che dovrete fare. Non è la natura un fonte inessiccabile per noi, come per voi? Quello che ci muove così difficilmente il riso, si è perché tentano farci ridere con sì poca grazia, che in effetto noi non ridiamo più, o almeno non conosciamo più *quella specie di riso, che viene dal frizzo nobile e spiritoso, ed è proprio degl'uomini di giudizio.* E quello che fa credere il nostro gusto cambiato, è la variazione non già de' difetti, perché il cuore umano è sempre il medesimo, ma delle nostre debolezze che hanno differente colore da quello aveano il secolo passato, e che per più d'un riguardo non sono assolutamente le stesse. Ecco perché molte buone Commedie antiche non hanno più per noi il medesimo sapore, e non vi ridiamo più di cuore: anzi si potrebbe dare il caso che non fossero accolte neppure al presente, benché si mettessero in scena per la prima volta. L'antica loro riputazione le sostiene, l'assuefazione d'andarvi ci guida, e una ridicola vergogna ci vieta di darne giudizio

S'eviterebbe come un bestemmiatore quello che ardisse parlar con freddezza d'una Commedia celebre, il cui brillante successo mantenuto dalla tradizione è divenuto una legge irrevocabile. Non credo per questo che molti ne siano internamente persuasi. In un secolo dove lo spirito filosofico abbraccia tutto, e nel quale si ama tanto a cercare il fisico delle cose, si deve conoscere che quella Commedia celebre, che una volta con ragione divertiva, deve di necessità essere al presente insipida, perché ci presenta degli obbietti che noi più non ravvisiamo, e che fuori della Scena non si veggono in niuna parte. Vi ha, se posso servirmi di tale espressione, una specie di moda nelle cose ridicole, che varia secondo i tempi, e che un buon Pittore deve sempre seguire per fare un quadro perfetto. Richiederebbe questa materia d'essere meglio sviluppata, e mi arrischierei a farlo, se questa Lettera non fosse già abbastnza lunga per impinguarla di più con que' particolari indispensabili, che esigerebbono le prove e gli esempi, che bisognerebbe produrvi. M'esibisco bensì, ammaestrandomi con voi ne' nostri privati trattenimenti, di farvi parte delle mie riflessioni su questo punto.

Ma credo dovervi qui prevenire sopra un secondo sistema più barbaro che il primo, e che il caso potrebbe mettervi sotto agli occhi. Vengo assicurato, essere stato impresso, non so dove, che la Commedia era stata talmente disseccata, che non avea più donde cavare fuorché dal fiele e dalla satira. Non crediate, vi supplico, per la riputazione de' miei Concittadini, che adottino questo principio. Vien detestato, e riguardato come una prova evidente di mancanza di talento in quelli che l'affermano, e che lo seguono. Si sa che il genere satirico è di tutti il più disprezzabile, come è il più facile, ed è per noi, come per tutte le Nazioni oneste e colte, un contrassegno d'uno spirito ristretto, e di un perversissimo cuore.

In ogni caso, se si desse che questo secondo sistema avesse preso tanto credito quanto il primo, di cui l'errore è senza dubbio più scusabile, perché non viene dal cuore; Voi distruggereste ben presto l'uno e l'altro con la vostra fecondità, con la varietà, verità e naturalezza de' vostri caratteri e de' vostri soggetti: benché il genere al quale voi inclinate, non sia il genere ordinario della Nazione, la riforma del primo condurrà insensibilmente alla riforma del secondo, e vedendo buone Commedie Italiane, s'imparerà a fare buone Commedie Francesi.

Vi ho fatto in buona parte conoscere li scogli che dovete temere, e ho creduto non dovervi parlar di ciò che vien qui detto *Cabala*, perché essa non può più niente su la vostra riputazione. Vi accerterò con tutto questo, che sovente non è che una chimera prodotta dall'amor proprio degl'Autori giustamente decaduti per cercar di ricoprire la vergogna del loro discredito. L'ho veduta servir di scusa in non so quante prefazioni di Commedie, alle quali ero stato testimonio della disposizione la più favorevole per gli Autori, e dove non avevo notata altra Cabala che quella da loro medesimi postata per proteggerle. Le cabale degli Amici sono senza contradizione molto più frequenti e numerose che le altre. Agiscono però sovente sì goffamente che ributtano gli spiriti più tranquilli, producendo un effetto del tutto contrario all'intenzione; ma si ha un bel mettere avanti tutti questi piccioli stratagemmi per riuscir a dispetto di Minerva, tutte queste misure prese da sì lontano, questi ingiusti e rozzi applausi, quel solito complimento di richieder l'Autore, che dovrebbe esser riserbato per il talento e la sublimità, tutto ciò non impone a persona, né rende la Commedia migliore. La face della verità rischiara ben presto questi falsi lumi, e l'Autore e l'opera son condannati all'oblio dalla pubblica voce, che s'inalza tanto più alta, quanto sul principio era stata affogata dalle grida dell'errore. Non è forse giusto che nel Regno delle Lettere, che è una Repubblica, la libertà che deve sempre regnarvi ricuperi finalmente i suoi diritti, e ne bandisca i tiranni e gli usurpatori?

Non saprei negare che la malignità e la vile gelosia non siansi armate contro le migliori Commedie; ma il tempo rimette poi le cose in ordine, e ho veduto sempre presto o tardi l'invidia abbattuta, e il vero merito o in una o in altra maniera riconosciuto. Vi citerò a quest'effetto M. di *Belloy*, che voi ben conoscete ed ammirate. La riputazione prodottagli dal suo *Tito* stampato, l'ha ben ricompensato de' colpi ingiustamente portatigli nella rappresentazione del medesimo, ed è stato molto meglio vendicato dopo da costanti e giusti applausi, che ha ricevuti e che avrà sempre la sua *Zelmira*, della quale vi siete proposto arricchire la vostra patria.

Non devo terminar la mia Lettera senza farvi osservare che sono del tutto del sentimento vostro su le Commedie a Soggetto, e Scene all'improvviso: non ho già inteso in ciò che vi ho detto che bisognasse privarne il Teatro Italiano, né che le vostre Commedie dovessero escluderne quelle che abbiamo. Vi sono nel Teatro Francese delle Commedie di generi differenti, e non vi ha alcuno inconveniente che ve ne sia nel Teatro Italiano. Questa varietà per lo contrario può esser vantaggiosa a' nostri piaceri. Ho detto solamente, e lo ripeto, che è ben desiderabile che il vostro genere divenga il dominante, e che voi siate abbastanza forte per non indebolirlo nelle vostre composizioni con la mischianza dell'altro.

Avete scorto, in ciò che vi ho detto della Commedia Italiana, che non ho favellato che del genere Italiano in particolare, e non del Teatro Italiano in generale: se avessi avuto per obbietto gli altri generi che questo Teatro unisce, sia in Commedie Francesi, sia in opere di Musica, non avrei mancato di accennarvi il caso che faccio e delle opere e degli Autori. Ma come che i giusti elogi, che loro son dovuti, non sono adattati al soggetto della mia Lettera, cercherò con premura un'altra occasione di lor pagare questo tributo, il quale avrei piacer grandissimo di soddisfare al presente.

Riguardo a voi, Signore, vi ho parlato forse con troppa libertà, ma come dice il vostro Filosofo Inglese nella Commedia vostra di tal titolo,

> *Soglio agli amici in faccia*
> *Dir con rispetto il vero, ancor quando dispiaccia.*

Vi protesto intanto con tutta la schiettezza di questo Filosofo, che sono con perfettissima stima e vera Amicizia,
Signore,

Vostro Umiliss. e Obbed. Servit.
Meslé

(Da *Tutte le Opere di C.G.* a cura di G. Ortolani, vol. VIII, pp. 1264-65; 1273-79, Mondadori, Milano, 1955².)

II

Per quanto riguarda là documentazione relativa al *Ventaglio* ci sembra opportuno riportare i seguenti estratti da lettere di Goldoni che parlano della commedia, rimandando il lettore alla *Premessa al testo* per tutte le altre notizie.

Ora ho pensato a un nuovo genere di Commedie, per vedere se da questi Attori posso ricavare qualche cosa di buono. Essi non imparano le scene studiate; non eseguiscono le scene lunghe, ben disegnate, ed io ho fatto una Commedia di molte scene, brevi, frizzanti, animate da una perpetua azione, da un movimento continuo, onde i Comici non abbiano da far altro, che esseguire più coll'azione, che colle parole. Vi vorrà una quantità grande di prove sul luogo dell'azione, vi vorrà pazienza, e fatica, ma vuò veder se mi riesce di far colpo con questo metodo nuovo. Il titolo della Commedia è *L'Eventaille*. Un Ventaglio da Donna principia la Commedia, la termina, e ne forma tutto l'intrigo. La scena è stabile, e rappresenta una Piazza di Villa con varie case e botteghe, e viali d'alberi. Al primo alzar della tenda, tutti i Personaggi si vedono in scena, in situazioni, impieghi, ed attitudini differenti. Tutti agiscono. Si vuota, e si riempie la scena, e termina con tutti i Personaggi in situazioni diverse. Vi ho messi dentro, per essere meglio inteso, quattro Personaggi Franzesi. Ho letto la Commedia all'Assemblea de' Comici, e tutti ne sono restati contenti. Credo, che si darà in questo mese, e se sarà con calore rappresentata, mi lusingo, che farà buon effetto. Né anche con questa arriverò a quel punto, che io desidero, cioè di vedere alla Commedia Italiana il Teatro pieno.[1] Vi vuole qualche cosa di più, e aspetto alla buona stagione di farne il tentativo, cioè in Novembre. Le Donne Franzesi non intendono l'Italiano, e quando al Teatro mancano le Donne, scarseggiano ancora gli Uomini.

(C.G., *Opere complete di C.G. edite dal Municipio di Venezia nel II Centenario della nascita*, Venezia MDCCC-CLII, tomo XXXIX, lettera XCVII, p. 64.)

Dalla lettera all'Albergati del 13 giugno 1763

Si è data la mia Commedia intitolata *Il ventaglio*, ma non ha fatto quell'incontro, che io credeva.[2] È troppo inviluppata per

---

[1] Il pubblico di Parigi si era allontanato dalla *Comédie Italienne* che non riusciva più a presentargli opere tali da attirarlo con la loro novità.

[2] La commedia fu recitata per la prima volta il 27 maggio.

l'abilità di questi Comici. Sono stato risarcito dai *Due Fratelli Rivali*, picciola Commedia in un'atto,[3] che è una cosa da niente, ed ha fatto incontro grandissimo. Non ostante il suo incontro, non la credo buona per Lei. È troppo comica,[4] è troppo bassa, e questo è quel che piace a Parigi del Teatro Italiano. Io sono assai malcontento di questa sorta d'applausi.

(C.G., *op. cit.*, Venezia MDCCCCLII, tomo XXXIX, lettera C, p. 70.)

III

Potrà essere interessante per il lettore prendere visione del monologo di Enrico Panzacchi recitato alla fine del II Atto da Crespino, in occasione della rappresentanzione dell'11 maggio 1875 ad opera dell'*Accademia Filodrammatica Bolognese*. La recita, data al Teatro Brunelli, si proponeva di raccogliere fondi per un monumento a Goldoni da costruirsi a Venezia. Nei versi si fa riferimento alla venuta a Bologna del poeta, ove desiderava introdurre la sua riforma.

> ...Misurata d'un guardo
> La via lunga, aspra, dubbia,[5] eccolo con gagliardo
> Proponimento all'opra; e per correr più lesto
> Getta alle prime ortiche la toga ed il digesto.[6]

---

[3] Le regole ortografiche dell'epoca erano più elastiche delle odierne; non è infrequente trovare un uso simile dell'apostrofo nella grafia settecentesca.

[4] Goldoni vuol dire che i *lazzi* degli attori sono ancora quelli della *vecchia commedia*, meno raffinati di quelli che pure si trovano nel *Ventaglio*.

[5] Riferimento agli ostacoli incontrati da G. prima di vedere affermata la sua riforma.

[6] Infatti G. abbandonò l'attività forense per dedicarsi al teatro (*Digesto* — o *Pandette* — è una raccolta di pareri e decisioni di giurisperiti ordinata dall'imperatore Giustiniano e pubblicata nel 533).

Poi, con la turba innumera de' ciuchi e de' buffoni,
Qua renitenti zingari, là dotti bertuccioni,
Qua *Rosaure* svenevoli, *Florindi* puntigliosi,[7]
Là critici saccenti, e rivali invidiosi,[8]
Con tutti in una volta, calmo, ardito e beffardo
Comincerà una zuffa da disgradar Baiardo;[9]
E l'itala commedia, deposto il saio vile,[10]
Riprenderà la veste del secolo civile,[11]
Ritornerà sul palco bella, ringiovanità,
Specchio giocondo, ingenuo, dei tempi e della vita.[12]

(Cfr. C.G., *op. cit.*, Venezia MDCCCCXV, tomo XX, p. 471.)

IV

Riportiamo il giudizio che A. MOMIGLIANO dà della commedia nella sua *Storia della letteratura italiana*, Messina-Milano 1938, p. 323. Avvertiamo che questa è una delle opere goldoniane che più sono piaciute al critico — scelta, tra l'altro, nella raccolta di commedie da lui curate, *Opere di C.G.*, Napoli 1914. Sempre egli vi ha ravvisato, come pregio maggiore, la «comicità generale» (cfr. *La comicità e l'ilarità del Goldoni*, in *Giorn. stor. della lett.*, 1913, vol. LXI, p. 33); le uniche stonature sarebbero rappresentate dal linguaggio melodrammatico di Evaristo, «improvvise raffiche di mal gusto» di cui Momigliano non

[7] Viene qui rievocato nei suoi aspetti pittoreschi e nei suoi personaggi significativi il mondo della *vecchia commedia*.
[8] Si ricorderanno Pietro Chiari e Carlo Gozzi.
[9] Da far impallidire le imprese di Pierre Terrail, signore di Bayard (1473-1524), uomo d'arme francese che morì in battaglia a Romagnano Sesia.
[10] Allusione ai lazzi e alle volgarità della *vecchia commedia*.
[11] Ritroverà la dignità che aveva perduta.
[12] È il merito più grande di Goldoni che, limitato l'uso delle *Maschere* nei suoi lavori, introdusse la gente del suo tempo sulle scene, così da dare uno «specchio» genuino della vita della propria epoca.

riesce darsi una spiegazione (cfr. *Il mondo poetico del Goldoni*, in *L'Italia moderna*, 15 marzo 1907, pp. 476-477).

Il ventaglio è la più perfetta tra le commedie d'ambiente. Mirabile sopra tutte le prima scena, dove con pennellate così leggere e vive è già dipinto tutto l'ambiente paesano, e quello aristocratico, dei villeggianti: l'osteria, la farmacia, la bottega del ciabattino, quella della merciaia; i rumori del lavoro quotidiano (...), l'aria dei campi e del paese, con quel senso insieme di vita e di tranquillità: l'umore pettegolo del piccolo borgo da cui verrà fuori la tragicomica odissea del ventaglio. C'è un'arte superiore nello scegliere ed accennare appena i motivi e disporli nell'apparente disordine della realtà e nel reale ordine dell'arte. Forse non c'è altra commedia di Goldoni in cui la pittura lieve e mobile dell'ambiente e l'osservazione sagace e fugace degli uomini siano così bene armonizzate. Si può vedere anche in questo quella tenuità settecentesca di linee e di tinte, che è riconoscibile in tutto il teatro del Goldoni.

V

Riferiamo da ultimo il giudizio di Riccardo Bacchelli sui «congedi» delle commedie goldoniane, avvertendo che la simpatia dello scrittore non è attirata da lavori come *Il ventaglio*, «incantevoli sì, ma di puro intreccio», ma si volge piuttosto a quelle che egli chiama «commedie di carattere in lingua, commedie di carattere veneziane, commedie d'ambiente e di genere dialettali».

E nel congedo delle commedie goldoniane si desta il vezzo e la geniale e nobilesca familiarità e confidenza del perduto teatro italiano; Goldoni poi, direbbe Cristofolo di *Casa Nova* «el gh' ha un discorso che incanta»: ed è nel congedo l'incantatore che chiude la scena, l'artista che dandogli l'ultimo tocco scopre il suo stile, l'autore che viene a dire una sempre giusta e propria parola col senno e l'umanità suoi; qualche volta è l'uomo che fa un accenno di confessione. Insomma, che di deve dire? È il commiato di *Casa Nova*, *Serva Amorosa*, *Zelinda*, *Rusteghi*,

Baruffe, quello di *Locandiera* e di *Pamela*, finalmente è quello di Anzoleto prima di lasciar Venezia in «una delle ultime sere di carnevale», e quello del *Ventaglio*, che vien di Parigi. Goldoni in persona viene alla ribalta, e perciò non è stupore se la nostra commozione estetica si muta al congedo in un sorriso d'affetto un poco struggente. Perché in fin fine, se ci chiedessero chi era Goldoni, memori di quando la parola aveva un significato d'eleganza oltre che morale, non si potrebbe risponder meglio che così: Il più garbato e cordiale e onesto esempio del galantuomo italiano.

(Da R. BACCHELLI, *Confessioni letterarie*, «La Cultura», Milano, 1932, p. 16.)

BIBLIOGRAFIA

1) *Edizioni settecentesche*

Del 1789 è l'edizione Zatta (cl. 1ª; t. IV), Venezia. Il testo presenta incertezze e scorrettezze. Dello stesso anno si ricordano le ristampe di Livorno (Masi, IX) e di Lucca (Bonsignori, XIV). Nel 1791 la commedia è nuovamente edita a Bologna dalla Stamperia di San Tomaso d'Aquino. Si noti che, oltre alla ristampa veneziana del 1794, sono probabili altre edizioni settecentesche.

2) *Edizioni novecentesche*

Si riporta qui di seguito un elenco delle edizioni novecentesche della commedia tratte da N. MANGINI, *Bibliografia goldoniana 1908-1957*, Venezia-Roma, 1960, rispettivamente, per quanto riguarda l'opera singola, pp. 95-126, le opere scelte, pp. 77-94, integrato, per le edizioni posteriori e più recenti, dalla *Bibliografia goldoniana 1958-1967*, sempre a cura di N. MANGINI, contenuta nel quaderno n. 3 degli *Studi goldoniani*, Pubblicazioni della «Casa di Goldoni», Venezia, 1973, pp. 165-177.

Non è privo d'interesse ricordare che il quaderno n. 4, Venezia, 1976, riporta l'indice analitico della *Bibliografia goldoniana* comparsa nelle precedenti pubblicazioni (quaderno n. 1, *La Critica*; n. 2, *Gli Spettacoli*; n. 3, *Le Edizioni e le Traduzioni*).

È anche interessante rilevare, a differenza di quanto avviene per altri capolavori di Goldoni come, ad esempio, *Le baruffe chiozzotte*, edite singolarmente in numero abbastanza esiguo, comunque ben attestate tra le commedie scelte, ma spesso in relazione a pochi significativi passi (cfr. *Le baruffe chiozzotte*, Milano, Rizzoli (BUR), 1978, pp. 76-79), che *Il ventaglio* conosce molte edizioni singole, ma è frequente anche all'interno di raccolte, dove, di solito, è riportato integralmente; indice, questo, che — almeno a livello di lettura — la commedia è tra le più conosciute del repertorio goldoniano, probabilmente anche perché, a torto o a ragione (vedasi Lunari nella Introduzione a questo volume, p. 29) la scuola se ne è impossessata, proponendola come significativo *specimen* del drammaturgo veneziano: per convincersene basta scorrere l'elenco e rilevare la ragguardevole quantità di edizioni scolastiche, una persino dedicata agli studenti di italiano degli Stati Uniti, munita di vocabolario e di esercizi.

Venezia, Officine Grafiche Venete, 1909 (Commedie di C.G. Biblioteca dell'Adriatico, n. 13); — Herausgegeben von Dr. Bruno HERLET. In appendice: Anmerkungen und Wörterverzeichnis zu C.G., *Il ventaglio*, München, 1909 (Italienische Klassikerbibliothek Bd. 5) — Con prefazione e note di Cesare LEVI, Napoli, Pironti, 1912 (Nuova enciclopedia economica «Io so tutto») — Commedia commentata ad uso delle scuole da Mario MENGHINI, II ed., Firenze, Sansoni, 1914 (nuova ristampa dell'ed. del 1893; Rist. 1921; 1924; 1961, per la quale cfr. *infra*) — Bologna, Cappelli, 1923 (con prefazione) — Con introduzione e commento di Ettore ALLODOLI, Palermo, Sandron, 1924 (Collezione classici italiani, n. 12; Rist.: 1936) — Commedia annotata e con prefazione di Rosolino GUASTALLA, II ed., Livorno, Giusti, 1924 (Biblioteca di classici italiani commentati per le scuole) — Con introduzione di Avancino AVANCINI e note di Bianca AVANCINI, Milano, A. Vallardi, 1925 (Collana di cultura classica; Rist.: 1931; 1953)

— Introduzione e note di Ubaldo FAGIOLI, Bologna, Cappelli, 1925 (Classici nostri) — Con una vita di G., un saggio sul teatro goldoniano e un esame della commedia. A cura di Eugenio LEVI, Milano, Sonzogno, 1925 (Collezione scolastica di classici italiani e stranieri) — A cura di Gustavo BALSAMO CRIVELLI, con introduzione di Arturo GRAF su «Il modo di comporre di C. G.», Torino, Paravia, 1926 (Classici italiani commentati; Rist.: 1934; 1936; nuova edizione: 1954; 1957) — Col riassunto della commedia e note a cura di Lorenzo BIANCHI, Bologna, Zanichelli, 1926 — Introduzione di Renato SIMONI e note di Gioacchino BROGNOLIGO, Napoli, Casella, 1926 (Commedie scelte di C. G.) — Con prefazione e note di Antonio ZARDO, Firenze, Le Monnier, 1926 (Rist.: 1933; 1959; 1966) — Con prefazione e note di Michele CAROLI, Napoli, Rondinella e Loffredo, 1927 (Collezione testi commentati per le scuole) — Commedia annotata per le scuole da Giuseppe LIPPARINI, Milano, C. Signorelli, 1928 (Rist.: 1934; 1937; 1942; 1947: 1951; 1953; 1962) — A cura di Augusto SERENA, Treviso, Longo & Zoppelli, 1931 — Introduzione e note di Giuseppe PARISI, Milano, Trevisini, 1932 — Con un saggio sull'arte di G. e il commento di Manlio DAZZI, Milano, Mondadori, 1934, (I Capolavori di C. G., vol. III; Rist.: 1936 — per le rappresentazioni goldoniane della Biennale di Venezia, n. 2 —; 1952; 1956) — A cura di Paolo COLOMBO, Palermo, Andò, 1938 (Scrittori italiani, n. 9; Rist.: 1961) — Con note di Francesco LANDOGNA, Roma, Perrella, 1938 — A graded Italian reader by Vincenzo CIOFFARI and John VAN HORNE, Boston, Heath & C., 1948. Edizione ridotta per gli studenti di italiano delle scuole americane, con vocabolario ed esercizi — Milano, Rizzoli, 1950 (Biblioteca Universale Rizzoli n. 110; Rist.: 1952; 1954; 1955; 1956; 1957; 1958) — Edizione contenuta in *Tutto il teatro di tutti i tempi*. A cura di Corrado PAVOLINI, vol. I, Roma, Casini, 1953, pp. 859-908 (Rist.: 1963) — Testo, introduzione e note a cura

SUSANNA sola, ch'esce dalla bottega, e accomoda la roba
della mostra.

CORONATO esce dell'osteria con SCAVEZZO, che porta un barile di vino in spalla.

CRESPINO Coronato! *(ridendo batte, e Timoteo batte)*

CORONATO Or ora non posso più.[31] *(dimenandosi sulla sedia)*

SCAVEZZO Moracchio. *(chiamandolo e ridendo)*

MORACCHIO Cosa c'è, Scavezzo?

SCAVEZZO Il signor Conte! *(ridendo e burlandosi del Conte)*

MORACCHIO Zitto, zitto, che finalmente[32] è un signore...

SCAVEZZO Affamato.

GIANNINA Moracchio. *(chiamandolo)*

MORACCHIO Cosa vuoi?

GIANNINA Cosa ha detto Scavezzo?

MORACCHIO Niente, niente, bada a te, e fila.

GIANNINA Oh, è gentile veramente il mio signor fratello. Mi tratta sempre così. (Non vedo l'ora di maritarmi.) *(con sdegno volta la sedia, e fila con dispetto)*

SUSANNA Cos'è, Giannina? Che cosa avete?

GIANNINA Oh se sapeste, signora Susanna! Non credo che si dia al mondo un uomo più grossolano di mio fratello.

MORACCHIO Eh bene! Son quel che sono. Cosa vorresti dire? Finché state sotto di me...[33]

GIANNINA Sotto di te? Oh spero che vi starò poco. *(con dispetto fila)*

EVARISTO Via, cosa c'è? *(a Moracchio)* Voi sempre tormentate questa povera ragazza. *(s'accosta a lei)* E non lo merita, poverina.

GIANNINA Mi fa arrabbiare.

MORACCHIO Vuol saper tutto.

EVARISTO Via via, basta così.

BARONE È compassionevole il signor Evaristo. *(a Candida)*

---

[31] A momenti (*or ora*) non ne posso più.
[32] Dopo tutto, alla fin fine.
[33] Finché sarete sotto la mia tutela. L'espressione è sgraziata e materiale e scolpisce bene il carattere burbero e rustico di Moracchio.

CANDIDA Pare anche a me veramente. *(con un poco di passione*[34]*)*

GELTRUDA Gran cosa! non si fa che criticare le azioni altrui, e non si prende guardia[35] alle proprie. *(a Candida)*

BARONE (Ecco, questi sono que' dottoramenti[36] ch'io non posso soffrire.)

CRESPINO (Povera Giannina! Quando sarà mia moglie, quel galeotto non la tormenterà più.) *(da sé, lavorando)*

CORONATO (Sì, la voglio sposare se non fosse che per levarla da suo fratello.)

EVARISTO Ebbene, signor Barone, volete che andiamo? *(accostandosi a lui)*

BARONE Per dirvi la verità, questa mattina non mi sento in voglia d'andar alla caccia. Sono stanco di ieri...

EVARISTO Fate come vi piace. Mi permetterete che ci vada io?

BARONE Accomodatevi. (Tanto meglio per me. Avrò comodo di tentare la mia sorte colla signora Candida.)

EVARISTO Moracchio.

MORACCHIO Signore.

EVARISTO Il cane ha mangiato?

MORACCHIO Signor sì.

EVARISTO Prendete lo schioppo, e andiamo.

MORACCHIO Vado a prenderlo subito. Tieni. *(a Giannina)*

GIANNINA Cosa ho da tenere?

MORACCHIO Tieni questo cane fin che ritorno.

GIANNINA Date qui, mala grazia.[37] *(prende il cane e lo carezza; Moracchio va in casa)*

---

[34] Gelosia. Candida è infatti innamorata di Evaristo.

[35] Non si bada. Ma l'espressione *prendersi guardia* è più forte di *badare*.

[36] Sdottoramenti, sentenze dette con aria saccente.

[37] Sgarbato. L'espressione sarà ripresa, per contrasto, nella battuta di Crespino («Che bella grazia...»), questa volta riferita a Giannina.

CORONATO (È proprio una giovane di buon cuore. Non vedo l'ora ch'ella divenga mia.) *(da sé)*

CRESPINO (Che bella grazia che ha a far carezze! Se le fa ad un cane, tanto più le farà ad un marito.) *(da sé)*

BARONE Scavezzo.

SCAVEZZO Signore. *(si avanza)*

BARONE Prendete questo schioppo e portatelo nella mia camera.

SCAVEZZO Sì signore. (Questo almeno è ricco e genero-so. Altro che quello spiantato del Conte!) *(porta lo schioppo nell'osteria)*

EVARISTO Pensate voi di restar qui per oggi? *(al Barone)*

BARONE Sì, mi riposerò all'osteria.

EVARISTO Fate preparare, che verrò a pranzo con voi.

BARONE Ben volentieri, vi aspetto. Signore, a buon rive-rirle. *(alle signore)* [38] (Partirò per non dar sospetto.) [39] *(da sé)* Vado nella mia camera, ed oggi preparate per due. *(a Coronato, ed entra)*

CORONATO S'accomodi, sarà servita. [40]

SCENA II

MORACCHIO, EVARISTO e dette.

MORACCHIO *(collo schioppo esce di casa, e si fa dare il cane da Giannina)* Eccomi, signore, sono con lei. *(ad Evaristo)*

EVARISTO Andiamo. *(a Moracchio)* Signore mie, se me lo permettono, vado a divertirmi un poco collo schioppet-to. *(verso le due signore, e prende lo schioppo)*

GELTRUDA S'accomodi, e si diverta bene.

---

[38] Si ricordi che esse si trovano ancora sulla terrazza.

[39] C'è infatti troppa gente lì intorno.

[40] È sottinteso *La Signoria Vostra* o *Ella*. Si ritrova anche nell'uso toscano.

CANDIDA Le auguro buona preda e buona fortuna.

EVARISTO Son sicuro d'esser fortunato, se sono favorito da' suoi auspizi.[41] *(a Candida, e va accomodando lo schioppo e gli attrezzi di caccia)*

CANDIDA (Veramente è gentile il signor Evaristo!) *(a Geltruda)*

GELTRUDA (Sì, è vero. È gentile e compito. Ma, nipote mia, non vi fidate di chi non conoscete perfettamente.)

CANDIDA (Per che cosa dite questo, signora zia?)

GELTRUDA (Perché da qualche tempo ho ragione di dirlo.)

CANDIDA (Io non credo di poter esser condannata...)

GELTRUDA (No, non mi lamento di voi, ma vi prevengo perché vi conserviate sempre così.)

CANDIDA (Ah, è tardi il suo avvertimento. Sono innamorata quanto mai posso essere.) *(da sé)*

EVARISTO Oh, tutto è all'ordine: andiamo. *(a Moracchio)* Nuovamente servitor umilissimo di lor signore. *(saluta le due signore in atto di partire)*

GELTRUDA Serva. *(si alza per fargli riverenza)*

CANDIDA Serva umilissima.[42] *(s'alza ancor ella, urta, e il ventaglio va in istrada)*[43]

EVARISTO Oh! *(raccoglie il ventaglio)*

CANDIDA Niente, niente.

GELTRUDA La non s'incomodi.

EVARISTO Il ventaglio è rotto, me ne dispiace infinitamente.

CANDIDA Eh non importa, è un ventaglio vecchio.

EVARISTO Ma io sono la cagione ch'è rotto.

GELTRUDA Non si metta in pena di ciò.

---

[41] Auguri. Si tratta di un arcaismo che spicca fra tanti francesismi, ma non si deve dimenticare che Goldoni è molto lontano dal purismo.

[42] Espressione di saluto tipica del '700.

[43] È dall'accidentale caduta del ventaglio che prende inizio tutta una serie di disavventure che hanno come protagonista appunto il ventaglio.

EVARISTO Permettano ch'abbia l'onore... *(vorrebbe portarlo in casa)*

GELTRUDA La non s'incomodi. Lo dia al servo Tognino. *(chiama)*

TOGNINO Signora. *(a Geltruda)*

GELTRUDA Prendete quel ventaglio.

TOGNINO Favorisca. *(lo dimanda ad Evaristo)*

EVARISTO Quando non mi vonno[44] permettere... tenete... *(dà il ventaglio a Tognino, che lo prende e va dentro)*

CANDIDA Guardate quanta pena si prende, perché si è rotto il ventaglio! *(a Geltruda)*

GELTRUDA Un uomo pulito[45] non può agir altrimenti. (Lo conosco che c'entra della passione.)[46] *(da sé)*

SCENA III

Tognino sulla terrazza dà il ventaglio alle donne:
esse lo guardano e l'accomodano.

EVARISTO, SUSANNA e detti.

EVARISTO (Mi spiace infinitamente che quel ventaglio si sia rotto per causa mia; ma vo' tentare di rimediarvi.) Signora Susanna. *(piano alla stessa)*

SUSANNA Signore.

EVARISTO Vorrei parlarvi. Entriamo in bottega.

SUSANNA Resti servita. S'accomodi. *(s'alza)*

EVARISTO Moracchio.

MORACCHIO Signore.

EVARISTO Andate innanzi. Aspettatemi all'entrata del bosco, ch'or ora vengo. *(entra con Susanna)*

---

[44] Vogliono (arcaismo). In altre edizioni è direttamente corretto in *vogliono*.

[45] Cortese (francesismo). La *politesse* era una delle doti più pregiate nel gentiluomo settecentesco.

[46] Amore.

MORACCHIO Se perde il tempo così, prenderemo delle zucche, e non del selvatico.[47] *(via col cane)*

GIANNINA Manco male che mio fratello è partito. Non vedo l'ora di poter dire due parole a Crespino; ma non vorrei che ci fosse quel diavolo di Coronato. Mi perseguita, e non lo posso soffrire. *(da sé, filando)*

CONTE Oh oh, bella, bellissima. *(leggendo)* Signora Geltruda.

CRESPINO Cosa ha trovato di bello, signor Conte?

CONTE Eh, cosa c'entrate voi? Cosa sapete voi che siete un ignorantaccio?

CRESPINO (Ci scommetto che ne so più di lei.) *(batte forte sulla forma)*

GELTRUDA Che mi comanda il signor Conte?

CONTE Voi che siete una donna di spirito, se sentiste quello ch'io leggo presentemente, è un capo d'opera.[48]

GELTRUDA È qualche istoria?

CONTE Eh! *(con sprezzatura)*

GELTRUDA Qualche tratto di filosofia?

CONTE Oh! *(come sopra)*

GELTRUDA Qualche bel pezzo di poesia?

CONTE No. *(come sopra)*

GELTRUDA E ch'è dunque?

CONTE Una cosa stupenda, meravigliosa, tratta dal francese: è una novella, detta volgarmente una favola.

CRESPINO (Maledetto! Una favola! stupenda! meravigliosa!) *(batte forte)*

GELTRUDA È di Esopo?[49]

CONTE No.

GELTRUDA È di monsieur de la Fontaine?[50]

---

[47] Selvaggina.
[48] Capolavoro (francesismo).
[49] Narratore di favole greco, la cui figura è in parte leggendaria (VI sec. a.C.).
[50] Narratore di favole francese (1621-1695).

CONTE Non so l'autore, ma non importa. La volete sentire?

GELTRUDA Mi farà piacere.

CONTE Aspettate. Oh ch'ho perduto il segno. La troverò... *(cerca la carta)* [51]

CANDIDA Voi che leggete de' buoni libri, amate di sentir delle favole? *(a Geltruda)*

GELTRUDA Perché no? Se son scritte con sale,[52] istruiscono e divertono infinitamente.

CONTE Oh, l'ho trovata. Sentite...

CRESPINO (Maledetto! legge le favole!) *(pesta forte)*

CONTE Oh, principiate a battere? *(a Crespino)*

CRESPINO Non vuol che li metta, li[53] soprattacchi? *(al Conte, e batte)*

TIMOTEO *(torna a pestar forte nel mortaio)*

CONTE Ecco qui quest'altro canchero che viene a pestar di nuovo. La volete finire? *(a Timoteo)*

TIMOTEO Signore, io faccio il mio mestiere. *(pesta)*

CONTE Sentite. «Eravi una donzella di tal bellezza...» *(a Geltruda)* Ma quietatevi, o andate a pestare in un altro luogo. *(a Timoteo)*

TIMOTEO Signore, mi scusi. Io pago la mia pigione, e non ho miglior luogo di questo. *(pesta)*

CONTE Eh, andate al diavolo con questo maledetto mortaio. Non si può leggere, non si può resistere. Signora Geltruda, verrò da voi. Sentirete che pezzo,[54] che roba, che novità! *(batte sul libro, ed entra in casa di Geltruda)*

[51] Pagina.
[52] Con arguzia. Le facezie dei comici erano dette dai romani «sali», famosissimi quelli di Plauto.
[53] La forma dell'articolo maschile plurale è spessissimo *li* in Goldoni. D'altronde questo risulta un passo particolarmente martoriato: l'edizione Zatta omette il punto interrogativo, mentre altri editori correggono e leggono rispettivamente: *Non vuol che le metta i sopratacchi? ...che li metta i...? ...che gli metta i...?*
[54] Brano, passo. Con tutta probabilità si tratta di un francesismo *(pièce)*.

GELTRUDA È un poco troppo ardito[55] questo signor speziale. Andiamo a ricevere il signor Conte. *(a Candida)*

CANDIDA Andate pure, sapete che le favole non mi divertono.

GELTRUDA Non importa, venite, che la convenienza[56] lo vuole.

CANDIDA Oh questo signor Conte! *(con sprezzo)*

GELTRUDA Nipote mia, rispettate, se volete essere rispettata. Andiamo via.

CANDIDA Sì sì, verrò per compiacervi.[57] *(s'alza per andare)*

SCENA IV

EVARISTO e SUSANNA escono dalla bottega.
CANDIDA, SUSANNA e detti.

CANDIDA Come! Ancora qui il signor Evaristo! Non è andato alla caccia? Son ben curiosa di sapere il perché. *(osserva indietro[58])*

SUSANNA La non si lagni di me, perché le assicuro che le ho dato il ventaglio a buonissimo prezzo. *(a Evaristo)*

EVARISTO (Non v'è più la signora Candida!)[59] Mi dispiace che non sia qualche cosa di meglio.

SUSANNA Non ne ho né di meglio, né di peggio: questo

[55] Lo speziale che, nella migliore delle ipotesi, è un borghese, ha usato un tono poco rispettoso nei confronti del Conte, che, sia pur spiantato, è sempre un nobile.
[56] Buona educazione. È questo uno dei cardini sui quali si reggono i costumi dell'emergente classe borghese, che deve opporre le sue nuove tradizioni all'etichetta dei nobili ormai in declino.
[57] È stato osservato che l'atteggiamento condiscendente e perfino convenzionale di Candida rispecchia il carattere delle *amorose* della vecchia commedia.
[58] Stando all'indietro. Candida, infatti, è sul terrazzino e, tirandosi indietro, può sentire senza essere vista.
[59] Evaristo dal basso non la può vedere.

è il solo, questo è l'ultimo che m'era restato in bottega.

EVARISTO Benissimo, mi converrà valermi di questo.

SUSANNA M'immagino che ne vorrà fare un presente. *(ridendo)*

EVARISTO Certo ch'io non l'avrò comprato per me.

SUSANNA Alla signora Candida?

EVARISTO (È un poco troppo curiosa la signora Susanna.) *(da sé)* Perché credete voi ch'io voglia darlo alla signora Candida?

SUSANNA Perché ho veduto che si è rotto il suo.

EVARISTO No no, il ventaglio l'ho disposto diversamente.

SUSANNA Bene bene, lo dica a chi vuole. Io non cerco i fatti degl'altri. *(siede e lavora)*

EVARISTO (Non li cerca, ma li vuol sapere. Questa volta però non l'è andata fatta.)[60] *(da sé, e si accosta a Giannina)*

CANDIDA Gran segreti colla merciaia. Sarei bene curiosa di sapere qualche cosa. *(s'avanza un poco)*

EVARISTO Giannina. *(piano accostandosi a lei)*

GIANNINA Signore. *(sedendo e lavorando)*

EVARISTO Vorrei pregarvi d'una finezza.[61]

GIANNINA Oh cosa dice! comandi se la posso servire.

EVARISTO So che la signora Candida ha dell'amore[62] per voi.

GIANNINA Sì signor, per sua grazia.[63]

EVARISTO Anzi m'ha ella parlato perché m'interessi presso di vostro fratello.

[60] Non ci è riuscita.
[61] Cortesia, atto di persona fine ed educata. Si tratta di un altro canone di comportamento che la borghesia fa proprio mutuandolo dalla nobiltà.
[62] Affetto.
[63] Per sua bontà. Anche la contadinella si adegua alle buone maniere un po' affettate dei nobili e dei borghesi: non si tratta dunque di una stonatura stilistica come potrebbe sembrare.

GIANNINA Ma è una gran disgrazia la mia! Sono restata senza padre e senza madre, e mi tocca essere soggetta ad un fratello ch'è una bestia, signore, è veramente una bestia. *(fila con sdegno)*

EVARISTO Ascoltatemi.

GIANNINA Parli pure, che il filare non mi tura l'orecchio. *(altiera, filando)*

EVARISTO (Suo fratello è stravagante, ma ha anche ella il suo merito,[64] mi pare.) *(ironico)*

SUSANNA (Che avesse comprato il ventaglio per Giannina, non credo mai.) *(da sé)*

CORONATO e CRESPINO *(mostrano curiosità di sentir quel che dice Evaristo a Giannina, ed allungano il collo per sentire)*

CANDIDA (Interessi colla merciaia, interessi con Giannina! non capisco niente.) *(da sé, e si avanza sulla terrazza)*

EVARISTO Posso pregarvi di una finezza? *(a Giannina)*

GIANNINA Non le ho detto di sì? Non le ho detto che mi comandi? Se la rocca le dà fastidio, la butterò via. *(s'alza, e getta la rocca con dispetto)*

EVARISTO (Quasi quasi non direi altro, ma ho bisogno di lei.) *(da sé)*

CANDIDA (Cosa sono mai queste smanie?) *(da sé)*

CRESPINO (Getta via la rocca?) *(da sé, e colla scarpa e martello in mano, s'alza e si avanza un poco)*

CORONATO (Mi pare che si riscaldino col discorso!) *(da sé, col libro, s'alza e s'avanza un poco)*

SUSANNA (Se le facesse un presente, non andarebbe in collera.) *(da sé, osservando)*

GIANNINA Via, eccomi qua, mi comandi. *(ad Evaristo)*

EVARISTO Siate buona, Giannina.

GIANNINA Io non so d'essere mai stata cattiva.

EVARISTO Sapete che la signora Candida ha rotto il ventaglio?

---

[64] Non è da meno di lui.

GIANNINA Signor sì. *(con muso duro)*

EVARISTO Ne ho comprato uno dalla merciaia.

GIANNINA Ha fatto bene. *(come sopra)*

EVARISTO Ma non vorrei lo sapesse la signora Geltruda.

GIANNINA Ha ragione. *(come sopra)*

EVARISTO E vorrei che voi glielo deste secretamente.

GIANNINA Non lo posso servire. *(come sopra)*

EVARISTO (Che risposta villana![65])

CANDIDA (Mi dà ad intendere che va alla caccia, e si ferma qui.)

CRESPINO (Quanto pagherei sentire!) *(s'avanza, e mostra di lavorare)*

CORONATO Sempre più mi cresce la curiosità. *(s'avanza, fingendo sempre di conteggiare)*

EVARISTO Perché non volete farmi questo piacere? *(a Giannina)*

GIANNINA Perché non ho ancora imparato questo bel mestiere.[66]

EVARISTO Voi prendete la cosa sinistramente. La signora Candida ha tanto amore per voi.

GIANNINA È vero, ma in queste cose...

EVARISTO Mi ha detto che vorreste maritarvi a Crespino... *(dicendo così, si volta, e vede li due che ascoltano)* Che fate voi altri? Che baronata[67] è questa?

CRESPINO Io lavoro, signore. *(torna a sedere)*

CORONATO Non posso scrivere, e passeggiare? *(torna a sedere)*

CANDIDA (Hanno dei segreti importanti.) *(da sé)*

SUSANNA (Che diavolo ha costei, che tutti gli uomini le corrono dietro?)

---

[65] L'aggettivo conserva il suo significato etimologico: non si dimentichi che Evaristo è un borghese di città, mentre Giannina una campagnola, una *villana*.

[66] Essere intermediaria fra due innamorati.

[67] Mascalzonata, villania.

GIANNINA Se non ha altro da dirmi, torno a prendere la mia rocca. *(prende la rocca)*

EVARISTO Sentite: mi ha pregato la signora Candida, acciò m'interessi per voi, per farvi avere delle doti, e acciò Crespino sia vostro marito.

GIANNINA Vi ha pregato? *(cangia tuono, e getta via la rocca)*

EVARISTO Sì, ed io sono impegnatissimo perché ciò segua.

GIANNINA Dov'avete il ventaglio?

EVARISTO L'ho qui in tasca.

GIANNINA Date qui, date qui, ma che nessuno veda.

EVARISTO Eccolo. *(glielo dà di nascosto)*

CRESPINO (Le dà qualche cosa.) *(da sé, tirando il collo)*

CORONATO (Cosa mai le ha dato?) *(da sé, tirando il collo)*

SUSANNA (Assolutamente[68] le ha donato il ventaglio.) *(da sé)*

CANDIDA (Ah sì, Evaristo mi tradisce. Il Conte[69] ha detto la verità.)

EVARISTO Ma vi raccomando la segretezza. *(a Giannina)*

GIANNINA Lasci far a me, e non dubiti niente.

EVARISTO Addio.

GIANNINA A buon riverirla.

EVARISTO Mi raccomando a voi.

GIANNINA Ed io a lei. *(riprende la rocca, siede e fila)*

EVARISTO *(vuol partire, si volta, e vede Candida sulla terrazza)* (Oh, eccola un'altra volta sulla terrazza. Se potessi prevenirla[70]!) *(da sé, guarda intorno, e le vuol parlare)* Signora Candida?

---

[68] Senz'altro.

[69] Non il Conte, ma il Barone: cfr. la scena I: « Barone (a Candida) — È compassionevole il Signor Evaristo ».

[70] Avvertirla in anticipo del dono e dello stratagemma escogitato per farglielo pervenire.

CANDIDA *(gli volta le spalle, e parte senza rispondere)*

EVARISTO Che vuol dir questa novità? Sarebbe mai un disprezzo? Non è possibile... So che mi ama, ed è sicura che io l'adoro. Ma pure... Capisco ora cosa sarà. Sua zia l'avrà veduta, l'avrà osservata, non avrà voluto mostrare presso di lei... Sì sì, è così, non può essere diversamente. Ma bisogna rompere questo silenzio, bisogna parlare alla signora Geltruda, ed ottenere da lei il prezioso dono di sua nipote. *(via)*

GIANNINA In verità sono obbligata alla signora Candida che si ricorda di me. Posso far meno per lei? Fra noi altre fanciulle[71] sono piaceri che si fanno e che si cambiano senza malizia. *(filando)*

CORONATO *(s'alza, e s'accosta a Giannina)* Grand'interessi, gran segreti col signor Evaristo!

GIANNINA E cosa c'entrate voi? e cosa deve premere a voi?

CORONATO Se non mi premesse, non parlerei.

CRESPINO *(s'alza pian piano dietro Coronato per ascoltare)*

GIANNINA Voi non siete niente del mio, e non avete alcun potere sopra di me.

CORONATO Se non sono ora niente del vostro, lo sarò quanto prima.

GIANNINA Chi l'ha detto? *(con forza)*

CORONATO L'ha detto e l'ha promesso, e mi ha data parola, chi può darla e chi può disporre di voi.

GIANNINA Mio fratello forse... *(ridendo)*

CORONATO Sì, vostro fratello, e gli dirò i segreti, le confidenze, i regali...

---

[71] Senza dubbio si tratta di un atteggiamento un po' arrischiato: una contadina che si mette a pari con una borghese di città! Ma si deve anche ricordare la straordinaria capacità che hanno i personaggi goldoniani di riconoscersi appartenenti ad una determinata categoria o classe magari a dispetto degli elementi diversificatori.

CRESPINO Alto alto,[72] padron mio. *(entra fra li due)* Che pretensione[73] avete voi sopra questa ragazza?

CORONATO A voi non deggio[74] rendere questi conti.

CRESPINO E voi che confidenza avete col signor Evaristo? *(a Giannina)*

GIANNINA Lasciatemi star tutti due, e non mi rompete la testa.

CRESPINO Voglio saperlo assolutamente. *(a Giannina)*

CORONATO Cos'è questo voglio? Andate a comandare a chi v'appartiene. Giannina m'è stata promessa da suo fratello.

CRESPINO Ed io ho la parola da lei, e val più una parola della sorella che cento parole di suo fratello.

CORONATO Su questo ci toccheremo la mano.[75] *(a Crespino)*

CRESPINO Cosa vi ha dato il signor Evaristo? *(a Giannina)*

GIANNINA Un diavolo che vi porti.

CORONATO Eh, ora ora. L'ho veduto sortire[76] dalla merciaia. La merciaia me lo dirà. *(corre da Susanna)*

CRESPINO Che abbia comprato qualche galanteria?[77] *(va dalla merciaia)*

GIANNINA (Oh, io non dico niente sicuro... Non vorrei che Susanna...)

CORONATO Ditemi in grazia. Che cosa ha comprato da voi il signor Evaristo? *(a Susanna)*

SUSANNA Un ventaglio. *(ridendo)*

CRESPINO Sapete voi che cosa ha donato a Giannina?

[72] Alt, fermi (arcaismo).

[73] Pretesa. Si può essere incerti se si tratti di un francesismo (fr. *prétention*) o di un toscanismo. Il termine si ritrova in altre commedie.

[74] Debbo (arcaismo).

[75] Si vedrà. Probabilmente l'espressione ricalca il francese *toucher dans la main*, cioè mettersi d'accordo; qui è usata in senso ironico.

[76] Uscire (francesismo).

[77] Oggetto prezioso.

SUSANNA Oh bella! Il ventaglio. *(ridendo)*

GIANNINA Non è vero niente. *(contro Susanna)*

SUSANNA Come, non è vero niente? *(a Giannina, alzandosi)*

CORONATO Lasciate veder quel ventaglio. *(a Giannina, con forza)*

CRESPINO Voi non c'entrate. *(dà una spinta a Coronato)* Voglio veder quel ventaglio. *(a Giannina)*

CORONATO *(alza la mano, e minaccia Crespino)*

CRESPINO *(lo stesso)*

GIANNINA Per causa vostra. *(a Susanna)*

SUSANNA Per causa mia? *(a Giannina, con sdegno)*

GIANNINA Siete una pettegola.

SUSANNA A me pettegola? *(s'avanza minacciando)*

GIANNINA Alla larga, che giuro al cielo... *(alza la rocca)*

SUSANNA Vado via, perché ci perdo del mio. *(ritirandosi)*

GIANNINA Ci perde del suo?

SUSANNA Siete una contadina, trattate da quella che siete. *(corre via in bottega)*

GIANNINA *(vorrebbe seguitarla. Crespino la trattiene)* Lasciatemi stare.

CRESPINO Lasciatemi vedere il ventaglio. *(con forza)*

GIANNINA Io non ho ventaglio.

CORONATO Cosa vi ha dato il signor Evaristo? *(a Giannina)*

GIANNINA Vi dico ch'è un'impertinenza la vostra. *(a Coronato)*

CORONATO Voglio saperlo. *(si accosta a Giannina)*

CRESPINO Non tocca a voi, vi dico. *(lo respinge)*

GIANNINA Non si tratta così colle fanciulle onorate. *(s'accosta alla sua casa)*

CRESPINO Ditelo a me, Giannina. *(accostandosi a lei)*

GIANNINA Signor no. *(s'accosta di più alla porta)*

CORONATO Io, io ho da saperlo. *(respinge Crespino, e s'accosta a Giannina)*

GIANNINA Andate al diavolo. *(entra in casa, e gli serra la porta in faccia)*

CORONATO A me quest'affronto? *(a Crespino)* Per causa vostra. *(minacciandolo)*

CRESPINO Voi siete un impertinente.

CORONATO Non mi fate riscaldare il sangue. *(minac-*

CRESPINO Non ho paura di voi.   *ciandosi)*

CORONATO Giannina dev'esser mia. *(con forza)*

CRESPINO No, non lo sarà mai. E se questo fosse, giuro al cielo...

CORONATO Cosa sono queste minaccie?[78] Con chi credete di aver che fare?

CRESPINO Io sono un galantuomo, e son conosciuto.

CORONATO Ed io cosa sono?

CRESPINO Non so niente.

CORONATO Sono un oste onorato.

CRESPINO Onorato?

CORONATO Come! ci avreste voi qualche dubbio?

CRESPINO Non sono io che lo mette in dubbio.

CORONATO E chi dunque?

CRESPINO Tutto questo villaggio.

CORONATO Eh amico, non è di me che si parla. Io non vendo il cuoio vecchio per il cuoio nuovo.

CRESPINO Né io vendo l'acqua per vino, né la pecora per castrato, né vado di notte a rubar i gatti per venderli o per agnelli, o per lepre.

CORONATO Giuro al cielo... *(alza la mano)*

CRESPINO Ehi!... *(fa lo stesso)*

CORONATO Corpo di bacco! *(mette la mano in tasca)*

CRESPINO La mano in tasca! *(corre al banchetto per qualche ferro)*

***

[78] Plurale tipico dell'italiano antico. Altre edizioni correggono senz'altro con *minacce*.

CORONATO Non ho coltello... *(corre, e prende la sua banchetta)*

CRESPINO *(lascia i ferri e prende un seggiolone dello speziale, e si vogliono dare)*[79]

SCENA V

TIMOTEO, SCAVEZZO e detti.

TIMOTEO *(dalla sua bottega, col pistetto*[80] *in mano)*

LIMONCINO *(dal caffè, con un legno)*

SCAVEZZO *(dall'osteria, con uno spiedo)*

CONTE *(dalla casa di Geltruda, per dividere)* Alto, alto, fermate, ve lo comando. Sono io, bestie, sono il conte di Roccamonte; ehi bestie, fermatevi, ve lo comando. *(temendo però di buscare)*

CRESPINO Hai ragione che porto rispetto al signor Conte. *(a Coronato)*

CORONATO Sì, ringrazia il signor Conte, altrimenti t'avrei fracassato l'ossa.

CONTE Animo, animo, basta così. Voglio saper la contesa. Andate via, voi altri. Ci sono io, e non c'è bisogno di nessuno.

TIMOTEO C'è alcuno che sia ferito? *(Limoncino e Scavezzo partono)*

CONTE Voi vorreste che si avessero rotto il capo, scavezzate le gambe, slogato un braccio, non è egli vero? Per avere occasione di esercitare il vostro talento, la vostra abilità.

TIMOTEO Io non cerco il mal di nessuno, ma se avessero bisogno, se fossero feriti, storpiati, fracassati, li servirei volentieri. Sopra tutti servirei di cuore in uno di questi casi Vostra Signoria illustrissima.

---

[79] Battere (toscanismo).
[80] La quasi totalità degli editori riporta *pestello*.

CONTE Sei un temerario, ti farò mandar via.

TIMOTEO I galantuomini non si mandano via così facilmente.

CONTE Si mandano via i speziali ignoranti, temerari, impostori, come voi siete.

TIMOTEO Mi maraviglio ch'ella parli così, signore; ella che senza le mie pillole sarebbe morto.

CONTE Insolente!

TIMOTEO E le pillole non me l'ha ancora pagate. *(via)*

CORONATO (Il Conte in questo caso mi potrebbe giovare.) *(da sé)*

CONTE Ebbene, cosa è stato? cos'avete? qual è il motivo della vostra contesa?

CRESPINO Dirò, signore... Non ho riguardo di dirlo[81] in faccia di tutto il mondo... Amo Giannina...

CORONATO E Giannina dev'esser mia.

CONTE Ah ah, ho capito. Guerra amorosa. Due campioni di Cupido.[82] Due valorosi rivali. Due pretendenti della bella Venere,[83] della bella dea delle Case Nove. *(ridendo)*

CRESPINO Se ella crede di volermi porre in ridicolo... *(vuol partire)*

CONTE No. Venite qui. *(lo ferma)*

CORONATO La cosa è seriosa,[84] gliel'assicuro.

CONTE Sì, lo credo. Siete amanti[85] e siete rivali. Cospetto di bacco! guardate le combinazioni! Pare la favola ch'ho letto alla signora Geltruda. *(mostrando il libro, e legge)* «Eravi una donzella d'una bellezza sì rara...»

CRESPINO (Ho capito.) Con sua licenza.

---

[81] Modo di dire toscano.

[82] Divinità dell'amore raffigurata come un bimbo alato armato d'arco e frecce con cui colpisce i cuori.

[83] È la madre di Cupido. Si ricorderà che il Conte è lettore di favole.

[84] Altri editori preferiscono scrivere *seria*.

[85] Innamorati. *Amante* in Goldoni ha usualmente il significato di innamorato.

CONTE Dov'andate? Venite qui.

CRESPINO Se mi permette, vado a terminar di accomodare le sue scarpe.

CONTE Oh sì, andate, che siano finite per domattina.

CORONATO E sopra tutto che non siano accomodate col cuoio vecchio.

CRESPINO Verrò da voi per avere del cuoio nuovo. *(a Coronato)*

CORONATO Per grazia del cielo, io non faccio né il ciabattino, né il calzolaro.

CRESPINO Non importa, mi darete della pelle di cavallo, della pelle di gatto. *(via)*

CORONATO (Certo colui ha da morire per le mie mani.) *(da sé)*

CONTE Che ha detto di gatti? Ci fareste voi mangiare del gatto?

CORONATO Signore, io sono un galantuomo, e colui è un impertinente che mi perseguita a torto.

CONTE Questo è un effetto della passione della rivalità. Siete voi dunque amante di Giannina?

CORONATO Sì signore, ed anzi voleva raccomandarmi alla di lei protezione.

CONTE Alla mia protezione? *(con aria)* Bene, si vedrà. Siete voi sicuro ch'ella vi corrisponda?

CORONATO Veramente dubito ch'ella sia portata più per colui, che per me.

CONTE Male.

CORONATO Ma io ho la parola di suo fratello.

CONTE Non è da fidarsene molto.

CORONATO Moracchio me l'ha promessa sicuramente.

CONTE Questo va bene, ma non si può violentare[86] una donna. *(con forza)*

CORONATO Suo fratello può disporre di lei.

---

[86] Obbligare con la forza.

CONTE Non è vero: il fratello non può disporre di lei. *(con caldo)*

CORONATO Ma la di lei protezione...

CONTE La mia protezione è bella e buona; la mia protezione è valevole; la mia protezione è potente. Ma un cavaliere, come son io, non arbitra e non dispone del cuor di una donna.

CORONATO Finalmente è una contadina.

CONTE Che importa questo? La donna è sempre donna; distinguo i gradi, le condizioni, ma in massima rispetto il sesso.

CORONATO (Ho capito, la sua protezione non val niente.)

CONTE Come state di vino?[87] Ne avete provveduto di buono?

CORONATO Ne ho del perfetto, dell'ottimo, dell'esquisito.[88]

CONTE Verrò a sentirlo. Il mio quest'anno è riuscito male.

CORONATO (Son due anni che l'ha venduto.)

CONTE Se il vostro è buono, mi provvederò da voi.

CORONATO (Non mi curo di questo vantaggio.) *(da sé)*

CONTE Avete capito?

CORONATO Ho capito.

CONTE Ditemi una cosa. S'io parlassi alla giovane, e con buona maniera la disponessi?

CORONATO Le sue parole potrebbero forse oprar qualche cosa in mio vantaggio.

CONTE Voi finalmente meritate d'essere preferito.

CORONATO Mi parrebbe che da me a Crespino...

---

[87] Espressione toscana.

[88] Francesismo (*exquis*) o latinismo (*exquisitum*). Il termine è letterario e suona male in bocca di Coronato, ma, al solito, è tipico della lingua di Goldoni far ricorso ad espressioni ricercate anche quando sono stilisticamente fuori luogo.

CONTE Oh, non vi è paragone. Un uomo, come voi, proprio,[89] civile, galantuomo...

CORONATO Ella ha troppa bontà per me.

CONTE E poi rispetto alle donne,[90] è vero, ma appunto per questo, trattandole com'io le tratto, vi assicuro che fanno per me quel che non farebbero per nessuno.

CORONATO Questo è quello che pensavo anch'io, ma ella mi voleva disperare.[91]

CONTE Io faccio come quegli avvocati che principiano dalle difficoltà. Amico, voi siete un uomo che ha una buona osteria, che può mantenere una moglie con proprietà;[92] fidatevi di me, mi voglio interessare per voi.

CORONATO Mi raccomando alla sua protezione.

CONTE Ve l'accordo e ve la prometto.

CORONATO Se volesse darsi l'incomodo di venir a sentir il mio vino...

CONTE Ben volentieri. In casa vostra non vi ho alcuna difficoltà.

CORONATO Resti servita.

CONTE Buon galantuomo! *(gli mette la mano sulla spalla)* Andiamo. *(entra)*

CORONATO Due o tre barili di vino non saranno mal impiegati. *(entra)*

---

[89] Pulito (francesismo).

[90] Il testo è qui poco chiaro. Con ogni probabilità, come correggono molti editori, si deve leggere: «rispetto le donne».

[91] Usato attivamente nel senso di *far disperare*, *far perdere le speranze*.

[92] Con decoro. Il termine *proprietà* riprende il *proprio* di qualche battuta precedente.

ATTO SECONDO

SCENA I

Gran poche faccende[1] si fanno in questo villaggio! Non ho venduto che un ventaglio fin ora, ed anche l'ho dato ad un prezzo... Veramente per disfarmene. Le persone che ponno[2] spendere, vanno alla città a provvedersi. Dai poveri vi è poco da guadagnare. Sono una gran pazza a perdere qui il mio tempo; e poi in mezzo a questi villani senza convenienza,[3] senza rispetto, non fanno differenza da una mercante merciaia a quelle che vendono il latte, l'insalata e le ova.[4] L'educazione ch'io ho avuta alla città,[5] non mi val niente in questa campagna. Tutte eguali e tutti compagni:[6] Susanna, Giannina, Margherita, Lucia, la mercante, la capraia, la contadina: si fa d'ogni erba un fascio. Si distinguono un poco queste due signore,[7] ma poco v'è; poco, pochissimo. Quell'impertinente di Giannina poi, perché ha un poco di protezione, si crede di essere qualche cosa di grande. Gli[8] hanno donato un ventaglio! Cosa vuol fare una contadina di quel ventaglio? Oh, farà la bella figura!

---

[1] Affari.

[2] Possono (arcaismo).

[3] Senza educazione.

[4] Anche Susanna ha una spiccata «coscienza di classe», che si complica per di più con l'ammirazione per i costumi cittadini.

[5] Come in francese *à la ville*.

[6] Tutti eguali. Bisogna forse vedervi un influsso dialettale delle parlate del Nord.

[7] Geltruda e Candida.

[8] Gli editori più recenti correggono in *le*. Si noti che le regole grammaticali nel '700 sono ancora molto fluide.

Si farà fresco... la[9]... così... Oh che ti venga del bene! Sono cose da ridere; ma cose che qualche volta mi fan venire la rabbia. Son così, io che sono allevata civilmente,[10] non posso soffrire le male grazie. *(siede e lavora)*

SCENA II

CANDIDA ch'esce dal palazzino, e detta.

CANDIDA Non son quieta se non vengo in chiaro di qualche cosa. Ho veduto Evaristo sortire dalla merciaia e poi andar da Giannina, e qualche cosa sicuramente le ha dato. Vo' veder se Susanna sa dirmi niente. Dice bene mia zia, non bisogna fidarsi delle persone senza bene conoscerle. Povera me! Se lo trovassi infedele! È il mio primo amore. Non ho amato altri che lui.[11] *(a poco a poco s'avanza verso Susanna)*

SUSANNA Oh signora Candida, serva umilissima. *(si alza)*

CANDIDA Buon giorno, signora Susanna, che cosa lavorate di bello?

SUSANNA Mi diverto, metto assieme una cuffia.

CANDIDA Per vendere?

SUSANNA Per vendere, ma il cielo sa quando.

CANDIDA Può essere ch'io abbia bisogno d'una cuffia da notte.

SUSANNA Ne ho di fatti.[12] Vuol restar servita?

CANDIDA No no, c'è tempo, un'altra volta.

SUSANNA Vuol accomodarsi qui un poco? *(le offre la sedia)*

[9] Gli editori, scostandosi dall'edizione Zatta, preferiscono scrivere *là*.
[10] La *civiltà* è uno dei cardini dei buoni costumi della società settecentesca.
[11] È forse la sola frase della commedia ispirata da uno schietto sentimento.
[12] Infatti.

CANDIDA E voi?

SUSANNA Oh, io prenderò un'altra sedia. *entra in bottega e piglia una sedia di paglia)* S'accomodi qui, che starà meglio.

CANDIDA Sedete anche voi, lavorate. *(siede)*

SUSANNA Mi fa grazia a degnarsi della mia compagnia. *(siede)* Si vede ch'è nata bene. Chi è ben nato, si degna di tutti. E questi villani sono superbi come luciferi,[13] e quella Giannina poi...

CANDIDA A proposito di Giannina, avete osservato quando le parlava il signor Evaristo?

SUSANNA Se ho osservato? e come!

CANDIDA Ha avuto una lunga conferenza con lei.

SUSANNA Sa dopo cosa è succeduto? Sa la baruffa ch'è stata?

CANDIDA Ho sentito uno strepito, una contesa. Mi hanno detto che Coronato e Crespino si volevano dare.

SUSANNA Certo, e per causa di quella bella grazia, di quella gioja.[14]

CANDIDA Ma perché?

SUSANNA Per gelosia fra di loro, per gelosia del signor Evaristo.

CANDIDA Credete voi che il signor Evaristo abbia qualche attacco[15] con Giannina?

SUSANNA Io non so niente, non bado ai fatti degli altri e non penso mal di nessuno, ma l'oste e il calzolaio, se sono gelosi di lui, avranno le loro ragioni.

CANDIDA (Povera me! L'argomento è troppo vero in mio danno!) *(da sé)*

SUSANNA Perdoni, non vorrei commettere qualche fallo.

---

[13] Lucifero è infatti l'arcangelo bellissimo ed intelligentissimo che si ribellò a Dio e fu scacciato perciò dai cieli.

[14] Espressione colloquiale e dialettale.

[15] Attaccamento (francesismo).

CANDIDA A proposito di che?

SUSANNA Non vorrei ch'ella avesse qualche parzialità[16] per il signor Evaristo...

CANDIDA Oh io! non ce n'ho nessuna. Lo conosco perché viene qualche volta in casa; è amico di mia zia.

SUSANNA Le dirò la verità. (Non credo ch'ella si possa offendere di questo.) *(da sé)* Credeva[17] quasi che fra lei ed il signor Evaristo vi fosse qualche buona corrispondenza... lecita e onesta, ma dopo ch'è stato da me questa mattina, mi sono affatto disingannata.

CANDIDA È stato da voi questa mattina?

SUSANNA Sì signora, le dirò... È venuto a comprar un ventaglio.

CANDIDA Ha comprato un ventaglio? *(con premura)*

SUSANNA Sì certo, e come io aveva veduto ch'ella aveva rotto il suo, quasi per causa di quel signore, dissi subito fra me, lo comprerà per darlo alla signora Candida...

CANDIDA L'ha dunque comprato per me?

SUSANNA Oh signora no; anzi le dirò che ho avuto la temerità di domandarglielo se lo comprava per lei. In verità mi ha risposto in una maniera, come se io l'avessi offeso: Non tocca a me, dice; cosa c'entro io colla signora Candida? L'ho destinato altrimenti.

CANDIDA E che cosa ha fatto di quel ventaglio?

SUSANNA Cosa ne ha fatto? L'ha regalato a Giannina.

CANDIDA (Ah son perduta, son disperata!) *(da sé, agitandosi)*

SUSANNA Signora Candida. *(osservando la sua inquietudine)*

CANDIDA (Ingrato! Infedele! E perché? per una villana?) *(da sé)*

SUSANNA Signora Candida. *(con premura)*

---

[16] Inclinazione.

[17] La forma dell'imperfetto in *-a* alla prima persona singolare era usuale nel '700.

CANDIDA (L'offesa è insopportabile.) *(da sé)*

SUSANNA (Povera me, l'ho fatta!) *(da sé)* Signora, s'acquieti, la cosa non sarà così.

CANDIDA Credete voi ch'egli abbia dato a Giannina il ventaglio?

SUSANNA Oh, in quanto a questo, l'ho veduto io con questi occhi.

CANDIDA E cosa dunque mi dite, che non sarà?

SUSANNA Non so... non vorrei vederla per causa mia...

SCENA III

GELTRUDA sulla porta del palazzino.

SUSANNA Oh, ecco la sua signora zia. *(a Candida)*

CANDIDA Per amor del cielo, non dite niente. *(a Susanna)*

SUSANNA Non v'è pericolo. (E voleva dirmi di no.[18] Suo danno,[19] perché non dirmi la verità?) *(da sé)*

GELTRUDA Che fate qui, nipote? *(Candida e Susanna si alzano)*

SUSANNA È qui a favorirmi,[20] a tenermi un poco di compagnia.

CANDIDA Son venuta a vedere se ha una cuffia da notte.

SUSANNA Sì, è vero, me l'ha domandata. Oh non dubiti niente, che con me può esser sicura. Non sono una frasca,[21] e in casa mia non vien nessuno.

GELTRUDA Non vi giustificate fuor di proposito, signora Susanna.

SUSANNA Oh, io sono assai dilicata, signora.

GELTRUDA Perché non dirlo a me, se avete bisogno d'una cuffia?

[18] E voleva dirmi che non era innamorata affatto.
[19] Tanto peggio per lei.
[20] Onorarmi col venire da me.
[21] Allude a Giannina.

CANDIDA Voi eravate nel vostro gabinetto a scrivere; non ho voluto sturbarvi.

SUSANNA Vuol vederla? La vado a prendere. S'accomodi qui, favorisca. *(dà la sua sedia a Geltruda, ed entra in bottega)*

GELTRUDA Avete saputo niente di quella contesa ch'è stata qui fra l'oste ed il calzolaio? *(a Candida, e siede)*

CANDIDA Dicono per amore, per gelosie. *(siede)* Dicono che sia stata causa Giannina.

GELTRUDA Mi dispiace, perché è una brava ragazza.

CANDIDA Oh signora zia, scusatemi, ho sentito delle cose di lei, che sarà bene che non la facciamo più venire per casa.

GELTRUDA Perché? cosa hanno detto?

CANDIDA Vi racconterò poi. Fate a modo mio, signora, non la ricevete più, che farete bene.

GELTRUDA Siccome ella veniva più da voi, che da me, vi lascio in libertà di trattarla come volete.

CANDIDA (Indegna! Non avrà più l'ardire di comparirmi dinnanzi.) *(da sé)*

SUSANNA *(che torna)* Ecco le cuffie, signora, guardi, scelga, e si soddisfi. *(tutte tre si occupano alla scelta delle cuffie, e parlano piano fra loro)*

SCENA IV

Il CONTE ed il BARONE escono insieme dall'osteria.

CONTE Ho piacere che mi abbiate fatto la confidenza. Lasciatevi servire da me, e non dubitate.

BARONE So che siete amico della signora Geltruda.

CONTE Oh amico, vi dirò.[22] Ella è una donna che ha

---

[22] La precisazione del Conte è dovuta al fatto che un nobile non può essere un vero e proprio amico di chi non appartiene alla nobiltà.

qualche talento,[23] io amo la letteratura, mi diverto con lei più volentieri che con un'altra. Del resto poi ella è una povera cittadina.[24] Suo marito le ha lasciato quella casupola con qualche pezzo di terra, e per essere rispettata in questo villaggio ha bisogno della mia protezione.

BARONE Viva il signor Conte che protegge le vedove, che protegge le belle donne.

CONTE Che volete? A questo mondo bisogna essere buoni da[25] qualche cosa.

BARONE Mi farete dunque il piacere...

CONTE Non dubitate, le parlerò, le domanderò la nipote per un cavaliere mio amico; e quando gliela dimando io, son sicuro che non avrà ardire, che non avrà coraggio di dire di no.

BARONE Ditele chi sono.

CONTE Che serve? Quando gliela domando io.

BARONE Ma la domandate per me?

CONTE Per voi.

BARONE Sapete voi bene chi sono?

CONTE Non volete che io vi conosca? Non volete che io sappia i vostri titoli, le vostre facoltà, i vostri impieghi?[26] Eh, fra noi altri titolati ci conosciamo.

BARONE (Oh come me lo goderei,[27] se non avessi bisogno di lui!)

CONTE Oh collega[28] amatissimo... *(con premura)*

BARONE Cosa c'è?

CONTE Ecco la signora Geltruda con sua nipote.

[23] Buona qualità.

[24] Non di campagna, ma neanche nobile: borghese.

[25] Buoni a. Spesso in Goldoni si può osservare lo scambio tra loro delle preposizioni *da* e *a*.

[26] Espressione non molto chiara: forse il Conte allude agli *impieghi di capitali* del Barone.

[27] Come mi piacerebbe burlarmi di lui.

[28] Il termine non è dei più adatti se riferito alla nobiltà e suona veramente buffo, quasi che la nobiltà sia una professione.

BARONE Sono occupate, credo che non ci abbiano veduto.

CONTE No certo. Se Geltruda[29] mi avesse veduto, si sarebbe mossa immediatamente.

BARONE Quando le parlerete?

CONTE Subito, se volete.

BARONE Non è bene che io ci sia. Parlatele, io anderò a trattenermi dallo speziale.

CONTE Perché dallo speziale?

BARONE Ho bisogno di un poco di reobarbaro[30] per la digestione.

CONTE Del reobarbaro? Vi darà della radica di sambuco.

BARONE No no, lo conosco. Se non sarà buono, non lo prenderò. Mi raccomando a voi.

CONTE Collega amatissimo. *(lo abbraccia)*

BARONE Addio, collega carissimo. (È il più bel pazzo di questo mondo.) *(entra nella bottega dello speziale)*

CONTE Signora Geltruda. *(chiama forte)*

GELTRUDA Oh signor Conte, perdoni, non l'aveva veduta. *(si alza)*

CONTE Una parola, in grazia.

SUSANNA Favorisca, se comanda si servi qui;[31] è padrone.

CONTE No no; ho qualche cosa da dirvi segretamente. Scusate l'incomodo, ma vi prego di venir qui. *(a Geltruda)*

GELTRUDA La servo subito. Mi permetta di pagar una cuffia che abbiamo preso, e sono da lei. *(tira fuori una borsa per pagare Susanna, e per tirare in lungo)*

---

[29] Si noti che il Conte non la chiama *Signora* Geltruda, ma usa confidenzialmente il solo nome, e questo non perché le sia veramente amico (cfr. la nota 22), ma perché le ha accordato la sua *protezione*.

[30] Pianta tipica della Cina che, opportunamente trattata, dà un medicinale ad azione eupeptica, coleretica o purgativa a seconda della dose che si impiega.

[31] Si ricordi che si trovavano dalla merciaia.

CONTE Vuol pagar subito! questo vizio io non l'ho mai avuto.

SCENA V

CORONATO Illustrissimo, questo è un barile che viene a lei.

CONTE E l'altro?

CORONATO Dopo questo si porterà l'altro; dove vuol che si porti?

CONTE Al mio palazzo.[32]

CORONATO A chi vuole che si consegni?

CONTE Al mio fattore, se c'è.

CORONATO Ho paura che non vi sarà.[33]

CONTE Consegnatelo a qualcheduno.

CORONATO Benissimo, andiamo.

SCAVEZZO Mi darà poi la buona mano[34] il signor Conte.

CONTE Bada bene a non bever il vino, e non vi metter dell'acqua. *(a Scavezzo)* Non lo lasciate andar solo. *(a Coronato)*

CORONATO Non dubiti, non dubiti, ci sono anch'io. *(via)*

SCAVEZZO (Sì sì, non dubiti, che fra io ed il padrone l'abbiamo accomodato a quest'ora.) *(via)*

GELTRUDA *(ha pagato, e si avanza verso il Conte. Susanna siede e lavora. Candida resta a sedere, e parlano piano fra di loro)* Eccomi da lei, signor Conte. Cosa mi comanda?

CONTE In poche parole. Mi volete dar vostra nipote?

[32] In realtà il Conte abita in una catapecchia.
[33] La battuta è ironica ma vera, infatti il Conte ha un solo servitore.
[34] Mancia. È detto con ironia.

GELTRUDA Dare? Cosa intendete per questo dare?

CONTE Diavolo! non capite? In matrimonio.

GELTRUDA A lei?

CONTE Non a me, ma a una persona che conosco io, e che vi propongo io.

GELTRUDA Le dirò, signor Conte, ella sa che mia nipote ha perduto i suoi genitori, e ch'essendo figliuola d'un unico mio fratello, mi sono io caricata[35] di tenerle luogo di madre.

CONTE Tutti questi, compatitemi, sono discorsi inutili.

GELTRUDA Mi perdoni. Mi lasci venire al proposito[36] della sua posizione.[37]

CONTE Bene, e così?

GELTRUDA Candida non ha ereditato dal padre tanto che basti per maritarla secondo la sua condizione.

CONTE Non importa, non vi è questione di ciò.

GELTRUDA Ma mi lasci dire. Io sono stata beneficata[38] da mio marito.

CONTE Lo so.

GELTRUDA Non ho figliuoli...

CONTE E voi le darete una dote... *(impaziente)*

GELTRUDA Sì signore, quando il partito le converrà. *(con caldo)*

CONTE Oh, ecco il proposito[39] necessario. Lo propongo io, e quando lo propongo io, le converrà.

GELTRUDA Son certa che il signor Conte non è capace che di proporre un soggetto accettabile, ma spero che mi farà l'onore di dirmi chi è.

CONTE È un mio collega.

GELTRUDA Come? un suo collega?

CONTE Un titolato come son io.

---

[35] Incaricata.
[36] Punto principale.
[37] Proposta. Altri legge *proposizione*.
[38] Espressione legale: si ricordi che l'Autore stesso era uomo di legge.
[39] Partito.

GELTRUDA Signore...

CONTE Non ci mettete difficoltà.

GELTRUDA Mi lasci dire, se vuole; e se non vuole, gli leverò l'incomodo e me n'anderò.

CONTE Via via, siate buona; parlate, vi ascolterò. Colle donne sono civile, sono compiacente; vi ascolterò.

GELTRUDA In poche parole le dico il mio sentimento. Un titolo di nobiltà fa il merito di una casa, ma non quello di una persona.[40] Non credo mia nipote ambiziosa, né io lo sono per sacrificarla all'idolo della vanità.

CONTE Eh, si vede che voi avete letto le favole. *(scherzando)*

GELTRUDA Questi sentimenti non s'imparano né dalle favole, né dalle storie. La natura gl'inspira e l'educazione li coltiva.

CONTE La natura, la coltivazione,[41] tutto quel che volete. Quello ch'io vi propongo è il barone del Cedro.

GELTRUDA Il signor Barone è innamorato di mia nipote?

CONTE *Oui, madame.*[42]

GELTRUDA Lo conosco, ed ho tutto il rispetto per lui.

CONTE Vedete che pezzo[43] ch'io vi propongo?

GELTRUDA È un cavaliere di merito...

CONTE È un mio collega.

---

[40] Questo discorso non è solo da interpretarsi come una delle tante sentenze che contraddistinguono il personaggio di Geltruda: se dovessimo pensare ad uno sdottoramento morale ridurremmo senz'altro il valore della battuta. La ricca borghese *beneficata* dal marito si erge davanti allo spiantato nobile quasi a contendergli l'aristocrazia, ma con argomenti concreti, non con vane ambizioni di titolato.

[41] Cultura. Il termine richiama il finale della battuta precedente: «...e l'educazione li coltiva».

[42] Parlare in francese era nel '700 segno di distinzione; non si dimentichi che la cultura del secolo è schiettamente francese.

[43] Uomo importante. Anche oggi si usa dire *pezzo grosso*.

GELTRUDA È un poco franco[44] di lingua, ma non c'è male.

CONTE Animo dunque. Cosa mi rispondete?

GELTRUDA Adagio, adagio, signor Conte, non si decidono queste cose così sul momento. Il signor Barone avrà la bontà di parlare con me...

CONTE Quando lo dico io, scusatemi, non si mette in dubbio; io ve la[45] domando per parte sua, e si è raccomandato, e mi ha pregato, e mi ha supplicato, ed io vi parlo, vi supplico, non vi supplico,[46] ma ve la domando.

GELTRUDA Supponiamo che il signor Barone dica davvero.

CONTE Cospetto! Cos'è questo supponiamo? La cosa è certa: e quando lo dico io...

GELTRUDA Via, la cosa è certa. Il signor Barone la brama. Vossignoria la domanda. Bisogna bene ch'io senta se Candida vi acconsente.

CONTE Non lo saprà, se non glielo dite.

GELTRUDA Abbia la bontà di credere che glielo dirò. *(ironica)*

CONTE Eccola lì, parlatele.

GELTRUDA Le parlerò.

CONTE Andate, e vi aspetto qui.

GELTRUDA Mi permetta, e sono da lei. *(fa riverenza)* (Se il Barone dicesse davvero, sarebbe una fortuna per mia nipote. Ma dubito ch'ella sia prevenuta.)[47] *(da sé, e va verso la merciaia)*

CONTE Oh, io poi colla mia buona maniera faccio fare alle persone tutto quello che io voglio. *(tira fuori il libro, si mette sulla banchetta, e legge)*

---

[44] Libero.

[45] Candida.

[46] Il nobile Conte non può infatti abbassarsi a supplicare una borghese.

[47] Sia già innamorata di qualcun altro.

GELTRUDA Candida, andiamo a fare due passi. Ho necessità di parlarvi.

SUSANNA Se vogliono restar servite nel mio giardinetto, saranno in pienissima libertà. *(si alzano)*

GELTRUDA Sì, andiamo, che sarà meglio, perché devo tornar qui subito. *(entra in bottega)*

CANDIDA Cosa mai vorrà dirmi? Son troppo sfortunata per aspettarmi alcuna consolazione.[48] *(entra in bottega)*

CONTE È capace di farmi star qui un'ora ad aspettarla. Manco male che ho questo libro che mi diverte. Gran bella cosa è la letteratura! Un uomo con un buon libro alla mano non è mai solo. *(legge piano)*

SCENA VI

GIANNINA di casa, e il CONTE.

GIANNINA Oh via, il desinare è preparato, quando verrà quell'animale di Moracchio, non griderà. Nessuno mi vede; è meglio che vada ora a portar il ventaglio alla signora Candida. Se posso darglielo senza che la zia se ne accorga, glielo do; se no, aspetterò un altro incontro.

CONTE Oh ecco Giannina. Ehi! quella giovane. *(s'incammina al palazzino)*

GIANNINA Signore. *(dove si trova, voltandosi)*

CONTE Una parola. *(la chiama a sé)*

GIANNINA Ci mancava quest'impiccio ora. *(si avanza bel bello)*

CONTE (Non bisogna che io mi scordi di Coronato. Gli ho promesso la mia protezione, e la merita.) *(si alza e mette via il libro)*

GIANNINA Son qui, cosa mi comanda?

CONTE Dove eravate indirizzata?

GIANNINA A fare i fatti miei, signore. *(rusticamente)*

---

[48] Espressione tipica del linguaggio delle *amorose* della vecchia commedia.

CONTE Così mi rispondete? Con quest'audacia? con quest'impertinenza?

GIANNINA Come vuol ch'io parli? Parlo come so, come sono avvezza a parlare. Parlo così con tutti, e nessuno mi ha detto che sono una impertinente.

CONTE Bisogna distinguere con chi si parla.

GIANNINA Oh, io non so altro distinguere. Se vuol qualche cosa, me lo dica; se vuol divertirsi, io non ho tempo da perdere con vossignoria...

CONTE Illustrissima.

GIANNINA E eccellentissima ancora, se vuole.

CONTE Venite qui.

GIANNINA Son qui.

CONTE Vi volete voi maritare?

GIANNINA Signor sì.

CONTE Brava, così mi piace.

GIANNINA Oh, io quel che ho in core ho in bocca.

CONTE Volete che io vi mariti?

GIANNINA Signor no.

CONTE Come no?

GIANNINA Come no? perché no. Perché per maritarmi non ho bisogno di lei.

CONTE Non avete bisogno della mia protezione?

GIANNINA No in verità, niente affatto.

CONTE Sapete voi quel che io posso in questo villaggio?

GIANNINA Potrà tutto in questo villaggio, ma non può niente nel mio matrimonio.

CONTE Non posso niente?

GIANNINA Niente in verità, niente affatto. *(ridendo dolcemente)*

CONTE Voi siete innamorata in Crespino.

GIANNINA Oh, per me ha dello spirito che mi basta.

CONTE E lo preferite a quel galantuomo, a quell'uomo ricco, a quell'uomo di proposito[49] di Coronato?

---

[49] Uomo serio.

GIANNINA Oh, lo preferirei bene ad altri[50] che a Coronato.

CONTE Lo preferireste a degli altri?

GIANNINA Se sapesse a chi lo preferirei! *(ridendo, ed a moti si spiega per lui)*[51]

CONTE E a chi lo preferireste?

GIANNINA Cosa serve? non mi faccia parlare.

CONTE No, perché sareste capace di dire qualche insolenza.

GIANNINA Comanda altro da me?

CONTE Orsù, io proteggo vostro fratello, vostro fratello ha dato parola per voi a Coronato, e voi dovete maritarvi con Coronato.

GIANNINA Vossignoria...

CONTE Illustrissima.

GIANNINA Vossignoria illustrissima protegge mio fratello? *(affettata)*

CONTE Così è, sono impegnato.

GIANNINA E mio fratello ha dato parola a Coronato?

CONTE Sicuramente.

GIANNINA Oh, quando è così...

CONTE E bene?

GIANNINA Mio fratello sposerà Coronato.[52]

CONTE Giuro al cielo, Crespino non lo sposerete.[53]

GIANNINA No? perché?

CONTE Lo farò mandar via di questo villaggio.

GIANNINA Anderò a cercarlo dove sarà.

CONTE Lo farò bastonare.

GIANNINA Oh, in questo ci penserà lui.

[50] Allude al Conte.

[51] Fa intendere che allude a lui.

[52] La battuta scherzosa è una di quelle tipiche della servetta Colombina della vecchia commedia.

[53] Correzione apportata nelle recenti edizioni rispetto allo *sposarete* che aveva scritto probabilmente l'Autore seguendo l'uso dialettale del settentrione (cfr. ed. Zatta).

CONTE Lo farò accoppare.

GIANNINA Questo mi dispiacerebbe veramente.

CONTE Cosa fareste s'egli fosse morto?

GIANNINA Non so.

CONTE Ne prendereste un altro?

GIANNINA Potrebbe darsi di sì.

CONTE Fate conto ch'egli sia morto.

GIANNINA Signor, non so né leggere, né scrivere, né far conti.[54]

CONTE Impertinente!

GIANNINA Mi comanda altro?

CONTE Andate al diavolo.

GIANNINA M'insegni la strada.

CONTE Giuro al cielo, se non foste una donna!

GIANNINA Cosa mi farebbe?

CONTE Andate via di qua.

GIANNINA Subito l'obbedisco, e poi mi dirà ch'io non so le creanze. *(s'incammina verso il palazzino)*

CONTE Creanze, creanze! Va via senza salutare. *(sdegnato dietro a Giannina)*

GIANNINA Oh perdoni. Serva di vossignoria...

CONTE Illustrissima. *(sdegnato)*

GIANNINA Illustrissima.[55] *(ridendo corre nel palazzino)*

CONTE *Rustica progenies nescit habere modum.*[56] *(sdegnato)* Non so cosa fare; se non vuol Coronato, io non la posso obbligare; non ha mancato da me. Cosa si è messo in capo colui di voler una moglie che non lo vuole! Manca-

---

[54] Giannina continua ad alludere al Conte.

[55] Al di là della freschezza teatrale e di considerazioni di carattere estetico, questa scena ci mostra quanto ormai fosse caduto il prestigio della nobiltà anche presso il popolo. Né si dimentichi che il *Ventaglio* veniva scritto proprio in Francia pochi anni prima della Rivoluzione.

[56] I contadini non conoscono la buona creanza. Altro proverbio simile è *Rustica progenies semper villana fuit.*

no donne al mondo? Gliene troverò una io. Una meglio di questa. Vedrà, vedrà l'effetto della mia protezione.

SCENA VII

GELTRUDA e CANDIDA fuori della bottega della merciaia, e detto.

CONTE E così, signora Geltruda?

GELTRUDA Signore, mia nipote è una giovane saggia e prudente.

CONTE E così, alle corte.

GELTRUDA Ma ella m'affatica in verità, signor Conte.

CONTE Scusatemi; se sapeste quel ch'ho passato con una donna![57] è vero, che un'altra donna...[58] (Ma tutte donne!). E così, cosa dice la saggia e prudente signora Candida?

GELTRUDA Supposto che il signor Barone...

CONTE Supposto: maledetti i vostri supposti.

GELTRUDA Dato, concesso, assicurato, concluso, come comanda vossignoria.

CONTE Illustrissima. *(fra' denti, da sé)*

GELTRUDA Signore. *(domandandogli cosa ha detto)*

CONTE Niente niente, tirate innanzi.

GELTRUDA Accordate le condizioni e le convenienze, mia nipote è contenta di sposare il signor Barone.

CONTE Brava, bravissima. *(a Candida)* (Questa volta almeno ci sono riuscito.) *(da sé)*

CANDIDA (Sì, per vendicarmi di quel perfido d'Evaristo.) *(da sé)*

GELTRUDA (Non credeva, certo, ch'ella v'acconsentisse. Mi pareva impegnata in certo amoretto... ma mi sono ingannata.) *(da sé)*

[57] Con Giannina.
[58] Così è riportato nell'edizione Zatta e in quelle recenti. Noto con l'edizione a cura del Municipio di Venezia che forse si potrebbe leggere *È vero ch'è un'altra donna...*, con allusione a Giannina.

GIANNINA (Non c'è, non la trovo in nessun luogo.) *(da sé)* Oh eccola lì.

CONTE Così dunque la signora Candida sposerà il signor barone del Cedro.

GIANNINA (Cosa sento? cosa risponderà?) *(da sé)*

GELTRUDA Ella lo farà quando le condizioni... *(al Conte)*

CONTE Quali condizioni ci mettete voi? *(a Candida)*

CANDIDA Nessuna, signore, lo sposerò in ogni modo. *(al Conte)*

CONTE Viva la signora Candida, così mi piace. (Eh, quando mi meschio[59] io negli affari, tutto va a meraviglia.) *(si pavoneggia)*

GIANNINA (Questa è una cosa terribile. Povero signor Evaristo! È inutile ch'io le dia il ventaglio.) *(da sé, via)*

GELTRUDA (Mi sono ingannata. Ella amava il Barone, ed io la credeva accesa del signor Evaristo.) *(da sé)*

CONTE Se mi permettete, vado a dare questa buona nuova al Barone, al mio caro amico, al mio caro collega.

GELTRUDA E dov'è il signor Barone?

CONTE Mi aspetta dallo speziale. Fate una cosa. Andate a casa; ed io ve lo conduco immediatamente.

GELTRUDA Cosa dite, nipote?

CANDIDA Sì, parlerà con voi. *(a Geltruda)*

CONTE E con voi. *(a Candida)*

CANDIDA Mi rimetto a quello che farà la signora zia. (Morirò, ma morirò vendicata.)[60] *(da sé)*

CONTE Vado subito. Aspettateci. Verremo da voi... Come l'ora è un poco avanzata, non sarebbe male che gli offeriste di tenerlo a pranzo. *(a Geltruda)*

---

[59] Mischio (arcaismo).
[60] Frase tipica del repertorio delle *amorose*.

GELTRUDA Oh, per la prima volta!

CONTE Eh, queste sono delicatezze superflue. L'accetterà volentieri, m'impegno io, e per obbligarlo ci resterò ancor io. *(parte, ed entra dallo speziale)*

GELTRUDA Andiamo ad attenderli adunque. *(a Candida)*

CANDIDA Andiamo. *(melanconica)*

GELTRUDA Che cosa avete? Lo fate voi di buon animo? *(a Candida)*

CANDIDA Sì, di buon animo. (Ho data la mia parola, non vi è rimedio.)

GELTRUDA (Povera fanciulla, la compatisco. In questi casi, *(s'incammina verso il palazzino)* malgrado l'amore, si sente sempre un poco di confusione.) *(come sopra)*

SCENA IX

GIANNINA dal palazzino, e CANDIDA.

GIANNINA Oh signora Candida.

CANDIDA Cosa fate voi qui? *(in collera)*

GIANNINA Veniva in traccia[61] di lei...

CANDIDA Andate via, e in casa nostra non ardite più di mettervi il piede.

GIANNINA Come! A me quest'affronto?

CANDIDA Che affronto! Siete un'indegna, e non deggio e non posso più tollerarvi.[62] *(entra nel palazzino)*

GELTRUDA (È un poco troppo veramente.) *(da sé)*

GIANNINA (Io resto di sasso!) Signora Geltruda...

GELTRUDA Mi dispiace della mortificazione che avete provata, ma mia nipote è una giovane di giudizio, e se vi ha trattata male, avrà le sue ragioni per farlo.

---

[61] In cerca.
[62] La solita espressione melodrammatica delle *amorose*.

GIANNINA Che ragioni può avere? Mi maraviglio di lei. *(forte)*

GELTRUDA Ehi, portate rispetto. Non alzate la voce.

GIANNINA Voglio andare a giustificarmi... *(in atto di partire)*

GELTRUDA No no, fermatevi. Ora non serve,[63] lo farete poi.

GIANNINA Ed io le dico che voglio andare adesso. *(vuol andare)*

GELTRUDA Non ardirete di passare per questa porta. *(si mette sulla porta)*

SCENA X

CONTE e BARONE dallo speziale, per andar al palazzino, e dette.

CONTE Andiamo, andiamo.

BARONE Ci verrò per forza.

GELTRUDA Impertinente! *(a Giannina; poi entra e chiude la porta nell'atto che si presentano il Conte ed il Barone, non veduti da lei)*

GIANNINA *(arrabbiata s'allontana e smania)*

CONTE *(resta senza parlare, guardando la porta)*

BARONE Come, ci chiude la porta in faccia?

CONTE In faccia? Non è possibile.

BARONE Non è possibile? Non è possibile quel ch'è di fatto?

GIANNINA A me un affronto? *(da sé, passeggiando e fremendo)*

CONTE Andiamo a battere, a vedere, a sentire. *(al Barone)*

GIANNINA (S'entrano essi, entrerò ancor io.)

BARONE No, fermatevi, non ne vo' saper altro. Non voglio espormi a novelli insulti. Mi son servito di voi male a

---

[63] È inutile (toscanismo).

proposito. V'hanno deriso voi, ed hanno posto in ridicolo me per cagion vostra.

CONTE Che maniera di parlare è codesta? *(si scalda)*

BARONE E ne voglio soddisfazione.

CONTE Da chi?

BARONE Da voi.

CONTE Come?

BARONE Colla spada alla mano.

CONTE Colla spada? Sono vent'anni che sono in questo villaggio, e che non adopero più la spada.

BARONE Colla pistola dunque.

CONTE Sì, colle pistole. Anderò a prendere le mie pistole. *(vuol partire)*

BARONE No, fermatevi. Eccone due. Una per voi e una per me. *(le tira di saccoccia)*

GIANNINA Pistole? Ehi gente. Aiuto. Pistole. Si ammazzano. *(corre in casa)*

CONTE *(imbarazzato)*

SCENA XI

GELTRUDA sulla terrazza, e detti; poi LIMONCINO e TOGNINO.

GELTRUDA Signori miei, cosè questa novità?

CONTE Perché ci avete serrata la porta in faccia? *(a Geltruda)*

GELTRUDA Io? Scusatemi. Non sono capace di un'azione villana con chi che sia. Molto meno con voi e col signor Barone, che si degna di favorir[64] mia nipote.

CONTE Sentite. *(al Barone)*

BARONE Ma signora mia, nell'atto che volevamo venir da voi, ci è stata serrata la porta in faccia.

GELTRUDA Vi protesto[65] che non vi aveva veduti, ed ho

[64] Di fare una gentilezza. In questo caso di venire a trovare sua nipote.
[65] Vi assicuro.

serrato la porta per impedire che non entrasse quella scioc-
cherella di Giannina.

GIANNINA *(mette fuori la testa con paura*[66] *dalla sua
porta)* Cos'è questa scioccarella? *(caricando con disprezzo,*[67] *e torna dentro)*

CONTE Zitto[68] lì, impertinente. *(contro Giannina)*

GELTRUDA Se vogliono favorire, darò ordine che sieno
introdotti. *(via)*

CONTE Sentite? *(al Barone)*

BARONE Non ho niente che dire.

CONTE Cosa volete fare di quelle pistole?

BARONE Scusate la delicatezza d'onore... *(mette via le
pistole)*

CONTE E volete presentarvi a due donne colle pistole in
saccoccia?

BARONE Le porto in campagna per mia difesa.

CONTE Ma se lo sanno che abbiate quelle pistole, sapete
cosa sono le donne, non vorranno che vi accostiate.

BARONE Avete ragione. Vi ringrazio di avermi prevenu-
to, e per segno di buona amicizia, ve ne faccio un presente.
(le torna a tirar fuori e gliele presenta)

CONTE Un presente a me? *(con timore)*[69]

BARONE Sì, spero che non lo ricuserete.

CONTE Le accetterò perché vengono dalle vostre mani.
Sono cariche?

BARONE Che domanda! Volete ch'io porti le pistole
vuote?

CONTE Aspettate. Ehi dal caffè.

LIMONCINO *(dalla bottega del caffè)* Cosa mi comanda?

[66] Correzione di Cesare LEVI (C.G., *Il Ventaglio*, Napoli, Pironti,
1912). Nell'ed. Zatta e nelle altre si legge *con pausa*.
[67] Queste parole devono essere pronunciate con tono caricato e
sprezzante.
[68] Neutro avverbiale secondo l'uso normale in Goldoni.
[69] Infatti ha paura che siano cariche.

CONTE Prendete queste pistole, e custoditele, che le manderò a pigliare.

LIMONCINO Sarà servito. *(prende le pistole del Barone)*

CONTE Badate bene che sono cariche.

LIMONCINO Eh, ch'io le so maneggiare. *(scherza colle pistole)*

CONTE Ehi, ehi, non fate la bestia. *(con timore)*

LIMONCINO (È valoroso il signor Conte.) *(via)*

CONTE Vi ringrazio, e ne terrò conto. (Dimani le venderò.)

TOGNINO *(dal palazzino)* Signori, la padrona li aspetta.

CONTE Andiamo.

BARONE Andiamo.

CONTE Ah! che ne dite? Sono uomo io? Eh collega amatissimo. Noi altri titolati! La nostra protezione val qualche cosa. *(s'incammina)*

GIANNINA *(di casa,[70] pian piano, va dietro di loro per entrare. Il Conte ed il Barone entrano, introdotti da Tognino che resta sulla porta. Giannina vorrebbe entrare, e Tognino la ferma)*

TOGNINO Voi non ci avete che fare.

GIANNINA Signor sì, ci ho che fare.

TOGNINO Ho ordine di non lasciarvi entrare. *(entra, e chiude la porta)*

GIANNINA Ho una rabbia a non potermi sfogare, che sento proprio che la bile mi affoga. *(avanzandosi)* A me un affronto? A una giovane della mia sorte? *(smania per la scena)*

[70] Uscendo di casa.

SCENA XII

EVARISTO di strada, collo schioppo in spalla, e MORACCHIO collo schioppo in mano, una sacchetta col salvatico,[71] ed il cane attaccato alla corda; e detta. Poi TOGNINO.

EVARISTO Tenete, portate il mio schioppo da voi.[72] Custodite quelle pernici fino che io ne dispongo. Vi raccomando il cane. *(siede al caffè, piglia tabacco*[73] *e s'accomoda)*

MORACCHIO Non dubiti che sarà tutto ben custodito. *(ad Evaristo)* Il desinare è all'ordine? *(a Giannina, avanzandosi)*

GIANNINA È all'ordine. *(arrabbiata)*

MORACCHIO Cosa diavolo hai? Sei sempre in collera con tutto il mondo,[74] e poi ti lamenti di me.

GIANNINA Oh, è vero. Siamo fratelli, non vi è niente che dire.

MORACCHIO Via, andiamo a desinare, ch'è ora. *(a Giannina)*

GIANNINA Sì sì, va avanti, che poi verrò. (Voglio parlare col signor Evaristo.)

MORACCHIO Se vieni, vieni; se non vieni, mangerò io. *(entra in casa)*

GIANNINA Se ora mangiassi, mangerei del veleno.

EVARISTO (Non si vede nessuno nella terrazza. Saranno a pranzo probabilmente. È meglio ch'io vada all'osteria. Il Barone mi aspetta.) *(si alza)* Ebbene, Giannina, avete niente da dirmi? *(vedendo Giannina)*

---

[74] Selvaggina.

[72] A casa vostra (francesismo).

[73] L'uso del tabacco da fiuto era diffusissimo nel '700 così tra gli uomini come tra le donne. Cfr. *Il Giorno* del Parini (*Mattino*, vv. 919 e sgg.; *Notte*, vv. 625 e sgg.).

[74] Con tutti (francesismo).

GIANNINA Oh sì, signore, ho qualche cosa da dirle. *(bruscamente)*

EVARISTO Avete dato il ventaglio?

GIANNINA Eccolo qui il suo maladetto ventaglio.

EVARISTO Che vuol dire non avete potuto darlo?

GIANNINA Ho ricevuto mille insulti, mille impertinenze, e mi hanno cacciato di casa come una briccona.

EVARISTO Si è forse accorta la signora Geltruda?

GIANNINA Eh, non è stata solamente la signora Geltruda. Le maggiori impertinenze me l'ha dette la signora Candida.

EVARISTO Perché? Cosa le avete fatto?

GIANNINA Io non le ho fatto niente, signore.

EVARISTO Le avete detto che avevate un ventaglio per lei?

GIANNINA Come poteva dirglielo, se non mi ha dato tempo, e mi hanno scacciata come una ladra?

EVARISTO Ma ci deve essere il suo perché.

GIANNINA Per me so di non averle fatto niente. E tutto questo maltrattamento son certa, son sicura, che me lo ha fatto per causa vostra.

EVARISTO Per causa mia? La signora Candida che mi ama tanto?

GIANNINA Vi ama tanto la signora Candida?

EVARISTO Non vi è dubbio, ne son sicurissimo.

GIANNINA Oh sì, vi assicuro anch'io che vi ama bene, bene, ma bene.

EVARISTO Voi mi mettete in una agitazione terribile.

GIANNINA Andate, andate a ritrovare la vostra bella, la vostra cara. *(ironica)*

EVARISTO E perché non vi posso andare?

GIANNINA Perché il posto è preso.

EVARISTO Da chi? *(affannato)*

GIANNINA Dal signor barone del Cedro.

EVARISTO Il Barone è in casa? *(con maraviglia)*

GIANNINA Che difficoltà c'è che sia in casa, se è lo sposo[75] della signora Candida?

EVARISTO Giannina, voi sognate, voi delirate, voi non fate che dire degli spropositi.

GIANNINA Non mi credete, andate a vedere, e saprete s'io dico la verità.

EVARISTO In casa della signora Geltruda...

GIANNINA E della signora Candida.

EVARISTO Vi è il Barone?

GIANNINA Del Cedro...

EVARISTO Sposo della signora Candida...

GIANNINA L'ho veduto con questi occhi e sentito con queste orecchie.

EVARISTO Non può stare, non può essere, voi dite delle bestialità.

GIANNINA Andate, vedete, sentite, e vedrete s'io dico delle bestialità. *(cantando)*[76]

EVARISTO Subito, immediatamente. *(corre al palazzino e batte)*

GIANNINA Povero sciocco! Si fida dell'amore d'una giovane di città! Non sono come noi no, le cittadine.[77] *(Evaristo freme, e torna a battere)*

TOGNINO *(apre, e si fa vedere sulla porta)*

EVARISTO E bene!

TOGNINO Perdoni, io non posso introdur nessuno.

EVARISTO Avete detto che sono io?

TOGNINO L'ho detto.

EVARISTO Alla signora Candida?

TOGNINO Alla signora Candida.

EVARISTO E la signora Geltruda non vuole ch'io entri?

TOGNINO Anzi la signora Geltruda aveva detto di lasciarla entrare, e la signora Candida non ha voluto.

---

[75] Nel significato etimologico (lat. *sponsus*, da *spondeo*) di *promesso sposo*.

[76] Canterellando, cioè rifacendogli il verso.

[77] Cfr. la nota 71 dell'Atto primo.

EVARISTO Non ha voluto? Ah giuro al cielo! Entrerò.
(vuol sforzare e Tognino gli serra la porta in faccia)

GIANNINA Ah! cosa le ho detto io?

EVARISTO Son fuor di me. Non so in che mondo mi sia.
Chiudermi la porta in faccia?

GIANNINA Oh, non si meravigli. L'hanno fatto anche a
me questo bel trattamento.

EVARISTO Com'è possibile che Candida m'abbia potuto
ingannare?

GIANNINA Quel ch'è di fatto[78] non si può mettere in
dubbio.

EVARISTO Ancora non lo credo, non lo posso credere,
non lo crederò mai.

GIANNINA Non lo crede?

EVARISTO No, vi sarà qualche equivoco, qualche miste-
ro, conosco il cuore di Candida; non è capace.

GIANNINA Bene. Si consoli così. Speri e se la goda, che
buon pro le faccia.

EVARISTO Voglio parlar con Candida assolutamente.

GIANNINA Se non l'ha voluto ricevere!

EVARISTO Non importa. Vi sarà qualche altra ragione.
Andrò in casa del caffettiere.[79] Mi basta di vederla, di sentire una parola da lei. Mi basta un cenno per assicurarmi
della mia vita o della mia morte.

GIANNINA Tenga.[80]

SCENA XIII

CORONATO e SCAVEZZO vengono da dove sono andati; SCAVEZZO va a
dirittura all'osteria. CORONATO resta in disparte ad ascoltare; e detti.

EVARISTO Che volete darmi?

GIANNINA Il ventaglio.

---

[78] In realtà.
[79] Infatti la casa di Limoncino confina con quella di Candida.
[80] Evidentemente il ventaglio.

EVARISTO Tenetelo, non mi tormentate.

GIANNINA Me lo dona il ventaglio?

EVARISTO Sì, tenetelo, ve lo dono. (Son fuor di me stesso.)

GIANNINA Quand'è così, la ringrazio.

CORONATO (Oh oh, ora ho saputo cos'è il regalo. Un ventaglio.) *(senza esser veduto entra nell'osteria)*

EVARISTO Ma se Candida non si lascia da me vedere, se per avventura non si affaccia alle sue finestre, se vedendomi ricusa di ascoltarmi, se la zia glielo vieta, sono in un mare di agitazioni, di confusioni.[81]

CRESPINO *(con un sacco in spalla di curame*[82] *e scarpe ecc. va per andare alla sua bottega, vede li due, si ferma ad ascoltare)*

GIANNINA Caro signor Evaristo, ella mi fa pietà, mi fa compassione.

EVARISTO Sì, Giannina mia, lo merito veramente.

GIANNINA Un signore sì buono, sì amabile, sì cortese!

EVARISTO Voi conoscete il mio core, voi siete testimonio dell'amor mio.

CRESPINO (Buono,[83] sono arrivato a tempo.) *(col sacco in spalla, da sé)*

GIANNINA In verità, se sapessi io la maniera di consolarlo!

CRESPINO (Brava!)

EVARISTO Sì, ad ogni costo voglio tentar la mia sorte. Non voglio potermi rimproverare di aver trascurato di sincerarmi. Vado al caffè, Giannina, vado e vi vado tremando. Conservatemi l'amor vostro e la vostra bontà. *(la prende per mano,*[84] *ed entra nel caffè)*

---

[81] Linguaggio tipico dell'*amoroso*.
[82] Cuoio. È una voce dialettale; in altre edizioni si trova *corame*, mentre il Momigliano corregge con *cuoia*.
[83] Bene (toscanismo).
[84] Le stringe la mano. Espressione consueta in Goldoni.

GIANNINA Da una parte mi fa ridere, dall'altra mi fa compassione.

CRESPINO *(mette giù[85] il sacco, tira fuori le scarpe ecc., le mette sul banchetto e in bottega,[86] senza dir niente)*

GIANNINA Oh ecco Crespino. Ben ritornato. Dove siete stato sinora?

CRESPINO Non vedete? A comprare del cuoio e a prendere delle scarpe d'accomodare.

GIANNINA Ma voi non fate che accomodar delle scarpe vecchie. Non vorrei che dicessero... Sapete che non vi sono che delle male lingue.

CRESPINO Eh, le male lingue avranno da divertirsi più sopra di voi che sopra di me. *(lavorando)*

GIANNINA Sopra di me? che cosa possono dire di me?

CRESPINO Cosa m'importa che dicano ch'io faccio più il ciabattino che il calzolaro? Mi basta d'essere un galantuomo e di guadagnarmi il pane onoratamente. *(lavorando)*

GIANNINA Ma io non vorrei mi dicessero la ciabattina.

CRESPINO Quando?

GIANNINA Quando sarò vostra moglie.

CRESPINO Eh!

GIANNINA Eh! cosa questo eh? cosa vuol dir questo eh?

CRESPINO Vuol dire che la signora Giannina non sarà né ciabattina, né calzolaia, ch'ella ha delle idee vaste e grandiose.

GIANNINA Siete pazzo, o avete bevuto questa mattina?

CRESPINO Non son pazzo, non ho bevuto, ma non sono né orbo, né sordo.

GIANNINA E che diavolo volete dire? Spiegatevi, se volete ch'io vi capisca. *(si avanza)*

---

[85] Nell'ed. Zatta è stampato *quì*. Il Cameroni e il Levi correggono con *giù*. Nelle edizioni curate dal Masi, dal Guastalla, dal Momigliano e dal Vaccalluzzo si legge *depone*.

[86] Nell'ed. Zatta è stampato per errore *e in bottega*. Nell'edizione Cameroni e nelle più recenti si corregge con *e va in bottega*. Senonché Goldoni suole dire comunemente *entra in bottega*.

CRESPINO Vuol che mi spieghi? Mi spiegherò. Credete ch'io non abbia sentito le belle parole col signor Evaristo?

GIANNINA Col signor Evaristo?

CRESPINO «Sì, Giannina mia... voi conoscete il mio core... voi siete testimonio dell'amor mio.» *(contrafacendo Evaristo)*

GIANNINA Oh matto! *(ridendo)*

CRESPINO «In verità, se sapessi la maniera di consolarlo!» *(contrafacendo Giannina)*

GIANNINA Oh matto! *(come sopra)*

CRESPINO «Giannina, conservatemi l'amor vostro e la vostra bontà.» *(contrafacendo Evaristo)*

GIANNINA Matto, e poi matto. *(come sopra)*

CRESPINO Io matto?

GIANNINA Sì, voi, voi matto, stramatto e di là di matto.

CRESPINO Corpo del diavolo, non ho veduto io? Non ho sentito la bella conversazione col signor Evaristo?

GIANNINA Matto.

CRESPINO E quello che gli avete risposto?

GIANNINA Matto.

CRESPINO Giannina, finite con questo *matto*, che farò da matto da vero. *(minacciando)*

GIANNINA Ehi ehi! *(con serietà, poi cangia tuono)* Ma credete voi che il signor Evaristo abbia della premura per me?

CRESPINO Non so niente.

GIANNINA E ch'io sia così bestia per averne per lui?

CRESPINO Non so niente.

GIANNINA Venite qua, sentite. *(dice presto presto)* Il signor Evaristo è amante[87] della signora Candida, e la signora Candida lo ha burlato e vuol sposare il signor Barone. E il signor Evaristo è disperato, è venuto a sfogarsi meco, ed io lo compassionava per burlarmi di lui, egli si consolava con me. Avete capito?

_____

[87] Innamorato.

CRESPINO Né anche una parola.

GIANNINA Siete persuaso della mia innocenza?

CRESPINO Non troppo.

GIANNINA Quando è così, andate al diavolo. Coronato mi brama, Coronato mi cerca. Mio fratello gli ha dato parola. Il signor Conte mi stimola, mi prega. Sposerò Coronato. *(presto)*

CRESPINO Adagio, adagio. Non adate subito sulle furie. Posso assicurarmi che dite la verità? Che non avete niente che fare col signor Evaristo?

GIANNINA E non volete che vi dica matto? Caro il mio Crespino, che vi voglio tanto bene, che siete l'anima mia, il mio caro coccolo, il mio caro sposino. *(accarezzandolo)*

CRESPINO E cosa vi ha donato il signor Evaristo? *(dolcemente)*

GIANNINA Niente.

CRESPINO Niente sicuro? niente?

GIANNINA Quando vi dico niente, niente. (Non voglio che sappia del ventaglio, che subito sospetterebbe).

CRESPINO Posso esser certo?

GIANNINA Ma via, non mi tormentate.

CRESPINO Mi volete bene?

GIANNINA Sì, vi voglio bene.

CRESPINO Via, facciamo la pace. *(le tocca la mano)*

GIANNINA Matto. *(ridendo)*

CRESPINO Ma perché matto? *(ridendo)*

GIANNINA Perché siete un matto.

SCENA XIV

CORONATO ch'esce dall'osteria, e detti.

CORONATO Finalmente ho saputo il regalo che ha avuto la signora Giannina.

GIANNINA Cosa c'entrate con me voi?

CRESPINO Da chi ha avuto un regalo? *(a Coronato)*

CORONATO Dal signor Evaristo.

GIANNINA Non è vero niente.

CRESPINO Non è vero niente?

CORONATO Sì, sì, e so che regalo è. *(a Giannina)*

GIANNINA Sia quel ch'esser si voglia, a voi non deve importare; io amo Crespino, e sarò moglie del mio Crespino.

CRESPINO E bene, che regalo è? *(a Coronato)*

CORONATO Un ventaglio.

CRESPINO Un ventaglio? *(a Giannina, in collera)*

GIANNINA (Maladetto colui.)

CRESPINO Avete ricevuto un ventaglio? *(a Giannina)*

GIANNINA Non è vero niente.

CORONATO Tanto è vero, che lo avete ancora in saccoccia.

CRESPINO Voglio veder quel ventaglio.

GIANNINA Signor no. *(a Crespino)*

CORONATO Troverò io la maniera di farvelo metter fuori.

GIANNINA Siete un impertinente.

SCENA XV

MORACCHIO di casa colla salvietta, e mangiando; e detti.

MORACCHIO Cos'è questo baccanale? [88]

CORONATO Vostra sorella ha avuto un ventaglio in regalo, lo ha in saccoccia e nega di averlo.

MORACCHIO A me quel ventaglio. *(a Giannina, con comando)*

GIANNINA Lasciatemi stare. *(a Moracchio)*

MORACCHIO Dammi quel ventaglio, che giuro al cielo... *(minacciandola)*

GIANNINA Maladetto! Eccolo qui. *(lo fa vedere)*

---

[88] Il *baccanale* era nell'antichità classica una chiassosa e licenziosa festa in onore del dio Bacco, da cui il nome.

CRESPINO A me, a me. *(lo vorrebbe prendere)*

CORONATO Lo voglio io. *(con collera lo vuole prendere)*

GIANNINA Lasciatemi stare, maladetti.

MORACCHIO Presto, da' qui, che lo voglio io.

GIANNINA Signor no. *(a Moracchio)* Piuttosto lo voglio dare a Crespino.

MORACCHIO Da' qui, dico.

GIANNINA A Crespino. *(dà il ventaglio a Crespino, e corre in casa)*

CORONATO Date qui.

MORACCHIO Date qui.

CRESPINO Non l'avrete. *(tutti due sono attorno a Crespino per averlo; egli fugge via per le quinte, e loro appresso)*

SCENA XVI

CONTE sulla terrazza, TIMOTEO alla balconata. Poi il BARONE e detti.

CONTE Ehi, signor Timoteo. *(forte con premura)*

TIMOTEO Cosa comanda?

CONTE Presto, presto, portate dei spiriti,[89] dei cordiali.[90] È venuto male alla signora Candida.

TIMOTEO Subito vengo. *(entra in bottega)*

CONTE Che diavolo ha avuto a quella finestra?[91] Bisogna che nel giardino del caffettiere vi siano delle piante avvelenate. *(entra)*

CRESPINO *(traversa il teatro, e va dall'altra parte correndo)*

CORONATO ⎫ *(gli corrono dietro senza*
MORACCHIO ⎰ *dir niente, e tutti via)*

---

[89] *Spirito* è propriamente, in questo caso, la parte volatile di una sostanza, ottenuta per distillazione. Qui è lo stesso che *cordiale*.

[90] Il *cordiale* è un liquore che tonifica e che ristora.

[91] Evidentemente ha visto Evaristo.

BARONE *(dal palazzino va a sollecitare lo speziale)* Animo, presto, signor Timoteo.

TIMOTEO *(dalla speziaria con una sottocoppa*[92] *con varie boccette)* Eccomi, eccomi.

BARONE Presto, che vi è bisogno di voi. *(corre nel palazzino)*

TIMOTEO Son qui, son qui. *(va per entrare)*

> *(Crespino, Coronato, Moracchio da un'altra*
> *quinta corrono come sopra. Urtano Timoteo,*
> *e lo fanno cadere con tutte le sue boccette, che*
> *si fracassano. Crespino casca e perde il venta-*
> *glio. Coronato lo prende e lo porta via.*
> *Timoteo si alza e torna in bottega)*

CORONATO Eccolo, eccolo, l'ho avuto io. *(a Moracchio)*

MORACCHIO Ci ho gusto, tenetelo voi. Giannina mi renderà conto da chi l'ha avuto. *(entra in casa)*

CORONATO Intanto gliel'ho fatta vedere, l'ho avuto io. *(entra nell'osteria)*

CRESPINO Oh maladetti! Mi hanno stroppiato.[93] Ma pazienza. Mi dispiace più che Coronato abbia avuto il ventaglio. Pagherei sei para di scarpe a poterlo ricuperare, per farlo in pezzi... Per farlo in pezzi? Perché? Perché è un regalo fatto alla mia amorosa? Eh, pazzie, pazzie: Giannina è una buona ragazza, le voglio bene, e non bisogna esser così delicati.[94] *(zoppicando entra in bottega)*

---

[92] Vassoio.
[93] Storpiato.
[94] Suscettibili.

ATTO TERZO

SCENA I

Muta sino alla sortita del Conte e del Barone.

CRESPINO, esce dalla bottega con del pane, del formaggio, un piatto con qualche cosa da mangiare, ed un boccale vuoto. Si fa luogo al suo banchetto per desinare. TOGNINO dal palazzino con una scopa in mano corre alla speziaria ed entra. Crespino si mette a tagliare il pane, sempre senza parlare. CORONATO dall'osteria con SCAVEZZO che porta una barila in spalla, simile a quella che ha portato al Conte. Coronato passa davanti a Crespino, lo guarda e ride. Crespino lo guarda e freme. Coronato ridendo passa oltre, e va per la stessa scena ove ha portato la prima barila. Crespino guarda dietro a Coronato che parte, e quando non lo vede più, seguita le sue faccende. Tognino, dalla speziaria, viene a spazzare i vetri delle caraffe rotte. TIMOTEO, correndo dalla speziaria, passa al palazzino con sottocoppe e caraffe, ed entra; Tognino spazza, Crespino prende il suo boccale e va pian piano e melanconico all'osteria, ed entra; Tognino spazza. SUSANNA esce di bottega, accomoda la sua mostra, poi si mette a sedere e lavorare. Tognino va in casa, e serra la porta. Crespino esce dall'osteria col boccale pieno di vino, e ridendo guarda il ventaglio che ha sotto la gabbana,[1] per consolarsi da sé, ma per farlo vedere al popolo,[2] e va al suo banchetto e mette il boccale in terra. GIANNINA esce di casa, siede e si mette a filare. Crespino si mette a sedere; fa vedere a tirar fuori il ventaglio, e lo nasconde ridendo sotto al curame[3] e si mette a mangiare. Coronato solo torna dalla stessa strada. Passa davanti a Crespino e ride. Crespino mangia e ride. Coronato inverso l'osteria si volta verso Crespino e ride. Crespino mangia e ride. Coronato alla porta dell'osteria mangia, ride

---

[1] Soprabito fornito di cappuccio.
[2] Al pubblico.
[3] Cuoio.

ed entra. Crespino tira fuori il ventaglio, lo guarda e ride, e poi lo rimette, poi seguita a mangiare e bere. (Qui termina la scena muta.)

Il CONTE e il BARONE escono dal palazzino.

CONTE No, amico, scusatemi, non vi potete doler di niente.

BARONE Vi assicuro che non ho nemmen ragione di lodarmi.

CONTE Se la signora Candida si è trovata male, è un accidente,[4] vi vuol pazienza. Sapete che le donne sono soggette ai vapori,[5] agli affetti sterili.

BARONE Sterili? Isterici vorrete dire...

CONTE Sì, isterici, isterici, come volete. Insomma, se non vi ha fatto tutta l'accoglienza,[6] non è colpa sua, è colpa della malattia.

BARONE Ma quando siamo entrati non era ammalata, e appena mi ha veduto, si è ritirata nella sua camera.

CONTE Perché si sentiva il cominciamento del male.

BARONE Avete osservato la signora Geltruda quando è sortita dalla camera della nipote, con che premura, con che ammirazione[7] leggeva alcuni fogli che parevano de' viglietti?[8]

CONTE È una donna che ha degli affari assai. Saranno viglietti arrivati allora di fresco.

[4] Incidente.
[5] Secondo le teorie mediche dell'epoca gli svenimenti erano causati da *vapori* che salivano alla testa. Ne soffriva il Goldoni stesso, che accenna a questo disturbo nei suoi *Mémoires*.
[6] Sott. *dovuta*.
[7] Meraviglia.
[8] Forma dell'italiano antico per *biglietti*.

BARONE No, erano viglietti vecchi. Ci scommetto ch'è qualche cosa che ha trovato o sul tavolino, o indosso della signora Candida.

CONTE Siete curioso, collega mio, siete caro, siete particolare.[9] Cosa vi andate voi immaginando?

BARONE M'immagino quel che potrebbe essere. Ho sospetto che vi sia dell'intelligenza[10] fra la signora Candida ed Evaristo.

CONTE Oh, non vi è dubbio.[11] Se fosse così, lo saprei. Io so tutto. Non si fa niente nel villaggio che io non sappia. E poi, se fosse quello che dite voi, credete ch'ella avrebbe acconsentito alla vostra proposizione?[12] Ch'ella avrebbe ardito di compromettere la mediazione di un cavaliere della mia sorte?[13]

BARONE Questa è una buona ragione. Ella ha detto di sì senza farsi pregare. Ma la signora Geltruda, dopo la lettura di quei viglietti, non mi ha fatte più le gentilezze di prima, anzi in certo modo ha mostrato piacere che ce ne andiamo.

CONTE Vi dirò. Tutto quello di cui ci possiamo dolere della signora Geltruda si è, ch'ella non ci abbia proposto di restar a pranzo da lei.

BARONE Per questo non mi fa spezie.[14]

CONTE Le ho dato io qualche tocco,[15] ma ha mostrato di non intendere.

BARONE Vi assicuro ch'ella aveva gran volontà che le si levasse l'incomodo.

CONTE Mi dispiace per voi... Dove pranzate oggi?

[9] Strano.
[10] Che se l'intendano.
[11] Affermazione comicamente ambigua: il Conte vuol dire che non c'è dubbio, si può star sicuri.
[12] Proposta.
[13] Qualità.
[14] Non mi sembra cosa strana (espressione toscana).
[15] Allusione. Cfr. Atto II, scena VIII.

BARONE Ho ordinato all'oste il desinare per due.

CONTE Per due?

BARONE Aspetto Evaristo ch'è andato alla caccia.

CONTE Se volete venire a pranzo da me...

BARONE Da voi?

CONTE Ma il mio palazzo è mezzo miglio lontano.

BARONE Vi ringrazio, perché il pranzo è di già ordinato. Ehi dall'osteria. Coronato.

SCENA II

CORONATO dall'osteria, e detti.

CORONATO Mi comandi.

BARONE È venuto il signor Evaristo? [16]

CORONATO Non l'ho ancora veduto, signore. Mi dispiace che il pranzo è all'ordine, e che la roba patisce.

CONTE Evaristo è capace di divertirsi alla caccia fin sera e farvi star senza pranzo.

BARONE Cosa volete che io faccia? Ho promesso aspettarlo. [17]

CONTE Aspettarlo, va bene fino ad un certo segno. Ma caro amico, non siete fatto per aspettare un uomo di una condizione inferiore alla vostra. [18] Accordo la civiltà, [19] l'umanità, ma, collega amatissimo, sosteniamo il decoro.

BARONE Quasi quasi vi pregherei di venir a occupare il posto del signor Evaristo.

CONTE Se non volete aspettare, e se vi rincresce di mangiar solo, venite da me, e mangeremo quello che ci sarà.

BARONE No, caro Conte, fatemi il piacere di venir con

[16] Evaristo doveva infatti pranzare all'osteria col Barone (cfr. Atto I scena 1).

[17] La soppressione dell'usuale preposizione *di* non è infrequente nell'italiano antico in frasi di questo tipo.

[18] Infatti Evaristo è solo un borghese.

[19] Ammetto l'educazione.

me. Mettiamoci a tavola, e se Evaristo non ha discrezione, a suo danno.

CONTE Che impari la civiltà. *(contento)*

BARONE Ordinate che diano[20] in tavola. *(a Coronato)*

CORONATO Subito, resti servita. (Avanzerà poco per la cucina.) *(da sé)*

BARONE Andrò a vedere che cosa ci hanno preparato da pranzo. *(entra)*

CONTE Avete portato l'altro barile di vino? *(a Coronato)*

CORONATO Signor sì, l'ho mandato.

CONTE L'avete mandato? Senz'accompagnarlo?[21] Mi faranno qualche baronata.

CORONATO Le dirò, ho accompagnato il garzone fino alla punta dello stradone, ho incontrato il suo uomo...

CONTE Il mio fattore?

CORONATO Signor no.

CONTE Il mio cameriere?

CORONATO Signor no.

CONTE Il mio lacchè?

CORONATO Signor no.

CONTE E chi dunque?

CORONATO Quell'uomo che sta con lei, che va a vendere i frutti, l'insalata, gli erbaggi...[22]

CONTE Come! quello...

CORONATO Tutto quel che comanda. L'ho incontrato, gli ho fatto veder il barile, ed egli ha accompagnato il garzone.

CONTE (Diavolo! colui che non vede mai vino, è capace di bevere la metà del barile.) *(da sé, vuol entrare)*

CORONATO Favorisca.[23]

---

[20] Preparino la tavola.

[21] Cfr. Atto II scena v.

[22] Si tratta dell'uomo di fatica del Conte, che è poi l'unico servitore a sua disposizione, giacchè non ha né fattore né cameriere né lacchè.

[23] Aspetti un momento.

CONTE Cosa c'è? *(brusco)*

CORONATO Ha parlato per me a Giannina?

CONTE Sì, l'ho fatto.

CORONATO Cosa ha detto?

CONTE Va bene, va bene. *(imbarazzato)*

CORONATO Va bene?

CONTE Parleremo, parleremo poi. *(in atto di entrare)*

CORONATO Mi dica qualche cosa.

CONTE Andiamo, andiamo, che non voglio far aspettare il Barone. *(entra)*

CORONATO (Ci ho buona speranza... È un uomo, che quando vi si mette... qualche volta ci riesce.) Giannina. *(amoroso e brusco)*

GIANNINA *(fila, e non risponde)*

CORONATO Almeno lasciatevi salutare.

GIANNINA Fareste meglio a rendermi il mio ventaglio. *(senza guardare, e filando)*

CORONATO Sì... (Uh a proposito, mi ho [24] scordato il ventaglio in cantina!) Sì, sì, parleremo poi del ventaglio. (Non vorrei che qualcheduno lo portasse via.) *(entra)*

CRESPINO *(ride forte)*

SUSANNA Avete il cuor contento, signor Crespino; ridete molto di gusto.

CRESPINO Rido perché ho la mia ragione di ridere.

GIANNINA Voi ridete, ed io mi sento rodere dalla rabbia. *(a Crespino)*

CRESPINO Rabbia? E di che avete rabbia?

GIANNINA Che quel ventaglio sia nelle mani di Coronato.[25]

CRESPINO Sì, è nelle mani di Coronato. *(ridendo)*

GIANNINA E per che cosa ridete?

CRESPINO Rido perché è nelle mani di Coronato. *(si al-*

---

[24] Nell'italiano antico l'uso del verbo *essere* e del verbo *avere* oscilla in espressioni come quella del testo.

[25] In realtà il ventaglio è ora nelle mani di Crespino.

za, prende gli avanzi del desinare, ed entra in bottega)

GIANNINA È un ridere veramente da sciocco.

SUSANNA Non credeva che il mio ventaglio avesse da passare per tante mani. *(lavorando)*

GIANNINA Il vostro ventaglio? *(voltandosi con dispetto)*

SUSANNA Sì, dico il mio ventaglio, perché è sortito dalla mia bottega.

GIANNINA M'immagino che ve l'avranno pagato.

SUSANNA Ci s'intende. Senza di questo non l'avrebbero avuto.

GIANNINA E l'avranno anche pagato il doppio di quel che vale.

SUSANNA Non è vero, e se fosse anche vero, cosa v'importa? Per quello che vi costa, lo potete prendere.

GIANNINA Cosa sapete voi quello che mi costi?

SUSANNA Oh, se vi costa poi qualche cosa... non so niente io... Se chi ve l'ha dato ha delle obbligazioni...[26] *(con flemma caricata, satirica)*

GIANNINA Che obbligazioni? Cosa parlate d'obbligazioni? Mi maraviglio de' fatti vostri.[27] *(balza in piedi)*

SUSANNA Ehi, ehi, non crediate di farmi paura.

CRESPINO *(dalla bottega)* Cosa c'è? Sempre strepiti, sempre gridori.[28]

GIANNINA (Ho una volontà di rompere questa rocca.) *(da sé, siede e fila)*

SUSANNA Non fa che pungere, e non vuol che si parli.

CRESPINO Siete in collera, Giannina? *(siede, e si mette a lavorare)*

GIANNINA Io in collera? Non vado mai in collera io. *(filando)*

SUSANNA Oh ella è pacifica, non si altera mai. *(ironica)*

GIANNINA Mai, quando non mi tirano per li capelli,

---

[26] Obblighi.
[27] Di voi.
[28] Grida, ovvero gridatori, gente che grida (fr. *crieurs*).

quando non mi dicono delle impertinenze, quando non pretendono di calpestarmi. *(in modo che Susanna senta)*

SUSANNA *(mena la testa, e brontola da sé)*

CRESPINO Sono io che[29] vi maltratta, che vi calpesta? *(lavorando)*

GIANNINA Io non parlo per voi. *(filando con dispetto)*

SUSANNA No, non parla per voi, parla per me. *(burlandosi)*

CRESPINO Gran cosa! In questo recinto di quattro case non si può stare un momento in pace.

GIANNINA Quando vi sono delle male lingue...

CRESPINO Tacete, ch'è vergogna.

SUSANNA Insulta, e poi non vuol che si parli.

GIANNINA Parlo con ragione e con fondamento.

SUSANNA Oh, è meglio ch'io taccia, ch'io non dica niente.

GIANNINA Certo ch'è meglio tacere, che dire delle scioccherie.

CRESPINO E vuol esser l'ultima.

GIANNINA Oh sì, anche in fondo d'un pozzo.

TIMOTEO *(dal palazzino, colla sottocoppa e caraffe)*

GIANNINA Chi mi vuole mi prenda, e chi non mi vuole mi lasci.

CRESPINO Zitto, zitto, non vi fate sentire.

TIMOTEO (In questa casa non ci vado più. Che colpa ci ho io se queste acque non vagliono niente? Io non posso dare che di quello che ho. In una campagna pretenderebbero di ritrovare le delizie della città. E poi cosa sono i spiriti, gli elisiri,[30] le quintessenze?[31] Ciarlatanate. Questi

---

[29] Sono io quello che.

[30] *Elisir* è ogni liquore al quale siano state aggiunte sostanze medicinali o comunque aromatiche; era il cardine della farmacopea di un tempo.

[31] Estratti concentrati.

sono i cardini della medicina. Acqua, china[32] e mercurio.)[33] *(da sé, ed entra nella spezieria)*

CRESPINO Bisogna che ci sia qualcheduno d'ammalato in casa della signora Geltruda. *(verso Giannina)*

GIANNINA Sì, quella cara gioia della signora Candida. *(con disprezzo)*

SUSANNA Povera signora Candida! *(forte)*

CRESPINO Che male ha?

GIANNINA Che so io che male abbia? Pazzia.

SUSANNA Eh, so io che male ha la signora Candida.

CRESPINO Che male ha? *(a Susanna)*

SUSANNA Dovrebbe saperlo anche la signora Giannina. *(caricata)*

GIANNINA Io? Cosa c'entro io?

SUSANNA Sì, perché è ammalata per causa vostra.

GIANNINA Per causa mia? *(balza in piedi)*

SUSANNA Già con voi non si può parlare.

CRESPINO Vorrei sapere come va quest'imbroglio. *(si alza)*

GIANNINA Non siete capace che di dire delle bestialità. *(a Susanna)*

SUSANNA Via, via, la[34] non si scaldi.

CRESPINO Lasciatela dire. *(a Giannina)*

GIANNINA Con qual fondamento potete dirlo? *(a Susanna)*

SUSANNA Non parliamo altro.[35]

GIANNINA No no, parlate.

SUSANNA No, Giannina, non mi obbligate a parlare.

GIANNINA Se siete una donna d'onore, parlate.

SUSANNA Oh, quando è così, parlerò.

---

[32] Liquore ottenuto dalla corteccia di alcune piante delle *Rubiacee* originarie delle Ande.

[33] Elemento chimico usato in alcuni preparati farmaceutici.

[34] L'uso di *la* è squisitamente fiorentino, ma potrebbe anche essere un lombardismo.

[35] Non diciamo di più.

CRESPINO Zitto, zitto, viene la signora Geltruda, non facciamo scene dinnanzi a lei. *(si ritira al lavoro)*

GIANNINA Oh, voglio che mi renda ragione di quel che ha detto. *(da sé, camminando verso la sua casa)*

SUSANNA (Vuol che si parli? Sì, parlerò.) *(siede e lavora)*

CRESPINO (Se posso venire in chiaro di quest'affare...) *(siede e lavora)*

SCENA III

GELTRUDA dal palazzino, e li suddetti.

GELTRUDA Dite voi. È ritornato vostro fratello? *(a Giannina, con gravità)*

GIANNINA Signora sì. *(con malagrazia, e camminando verso casa sua)*

GELTRUDA Sarà tornato anche il signor Evaristo. *(come sopra)*

GIANNINA Signora sì. *(come sopra)*

GELTRUDA Sapete dove sia il signor Evaristo? *(a Giannina)*

GIANNINA Non so niente. *(con dispetto)* Serva sua. *(entra in casa)*

GELTRUDA (Che maniera gentile!) Crespino.

CRESPINO Signora. *(si alza)*

GELTRUDA Sapete voi dove si trovi il signor Evaristo?

CRESPINO No, signora, in verità non lo so.

GELTRUDA Fatemi il piacere di andare a vedere se fosse nell'osteria.

CRESPINO La servo subito. *(va nell'osteria)*

SUSANNA Signora Geltruda. *(sottovoce)*

GELTRUDA Che volete?

SUSANNA Una parola. *(si alza)*

GELTRUDA Sapete niente voi del signor Evaristo?

145

SUSANNA Eh signora mia, so delle cose assai. Avrei delle cose grandi da dirle.

GELTRUDA Oh cieli! Ho delle cose anch'io che m'inquietano. Ho veduto delle lettere che mi hanno sorpreso. Ditemi, illuminatemi, ve ne prego.

SUSANNA Ma qui in pubblico?... Si ha da fare con delle teste senza ragione... Se vuole ch'io venga da lei...

GELTRUDA Vorrei prima vedere il signor Evaristo.

SUSANNA O se vuol venire da me...

GELTRUDA Piuttosto. Ma aspettiamo Crespino.

SUSANNA Eccolo.

CRESPINO *(dall'osteria)*

GELTRUDA E così?

CRESPINO Non c'è, signora. L'aspettavano a pranzo, e non è venuto.

GELTRUDA Eppure dalla caccia dovrebbe essere ritornato.

CRESPINO Oh, è ritornato sicuramente. L'ho veduto io.

GELTRUDA Dove mai può essere?

SUSANNA Al caffè non c'è.[36] *(guarda in bottega)*

CRESPINO Dallo speziale nemmeno. *(guarda dallo speziale)*

GELTRUDA Vedete un poco. Il villaggio non è assai grande, vedete se lo ritrovate.

CRESPINO Vado subito per servirla.

GELTRUDA Se lo trovate, ditegli che mi preme parlargli, e che l'aspetto qui in casa della merciaia. *(a Crespino)*

CRESPINO Sarà servita. *(s'incammina)*

GELTRUDA Andiamo, ho ansiosità di sentire. *(entra in bottega)*

SUSANNA Vada, vada; sentirà delle belle cose. *(entra)*

CRESPINO Vi sono degl'imbrogli con questo signor Evaristo. E quel ventaglio... Ho piacere di averlo io nelle mani.

---

[36] Evaristo si trovava invece nel giardino del caffettiere confinante con la palazzina di Candida.

Coronato si è accorto che gli è stato portato via... Manco male che non sospetta di me. Nessuno gli avrà detto che sono stato a comprar del vino. Sono andato a tempo. Chi mai mi avrebbe detto che io avrei trovato il ventaglio sopra una botte? Sono casi che si danno, accidenti[37] che accadono. Sciocco! lasciar il ventaglio sopra una botte! Il garzone tirava[38] il vino, ed io prendilo e mettilo via. E Coronato ha la debolezza di domandar a me se l'ho veduto, se ne so niente! Sono pazzo io a dirgli che l'ho preso io? Acciò[39] vada dicendo che sono andato a posta, che ho rubato... È capace di dirlo. Oh, è così briccone, ch'è capace di dirlo. Ma dove ho d'andar io per trovar il signor Evaristo? Dal Conte no, perché è all'osteria che lavora di gusto. *(dà cenno[40] che mangia)* Basta, cercherò nelle case buone. Sono sei o sette, lo troverò. Mi dispiace che sono ancora all'oscuro di quel che ha detto Susanna. Ma le parlerò. Oh, se trovo Giannina in difetto,[41] se la trovo colpevole!... Cosa farò? L'abbandonerò? Eh, poco più, poco meno. Le voglio bene. Cosa mai sarà? *(va per partire)*

SCENA IV

LIMONCINO dal caffè, e detto; poi CORONATO.

CRESPINO Oh, mi sapreste dire dove sia il signor Evaristo?

LIMONCINO Io? Cosa sono? Il suo servitore?

CRESPINO Gran cosa veramente! non potrebbe essere nella vostra bottega?

LIMONCINO Se ci fosse, lo vedreste. *(si avanza)*

CRESPINO Limoncino del diavolo.

[37] Combinazioni.
[38] Cavava, evidentemente da una botte.
[39] Perché poi.
[40] Fa capire coi gesti.
[41] Colpa. Cfr. il proverbio milanese *Chi è in difetto è in sospetto.*

LIMONCINO Cos'è questo Limoncino?

CRESPINO Vieni, vieni a farti rappezzare le scarpe. *(via)*

LIMONCINO Birbante! Subito anderò a dirgli che il signor Evaristo è nel nostro giardino. Ora ch'è in giubilo, in consolazione,[42] non ha bisogno di essere disturbato. Ehi dall'osteria. *(chiama)*

CORONATO *(alla porta)* Cosa c'è?

LIMONCINO Ha mandato a dire il signor Evaristo, che dite al signor Barone che desini, e non l'aspetti, perché è impegnato, e non può venire.

CORONATO Ditegli che l'ambasciata è arrivata tardi, e che il signor Barone ha quasi finito di pranzare.

LIMONCINO Bene, bene, glielo dirò quando lo vedrò. *(va per partire)*

CORONATO Dite, quel giovane.

LIMONCINO Comandate.

CORONATO A caso, avreste sentito a dire che qualcheduno avesse ritrovato un ventaglio?

LIMONCINO Io no.

CORONATO Se mai sentiste a parlare, vi prego farmi avvisato.

LIMONCINO Signor sì, volentieri. L'avete perduto voi?

CORONATO L'aveva io. Non so come diavolo si sia perduto. Qualche briccone l'ha portato via, e quei stolidi de' miei garzoni non sanno nemmeno chi sia stato a prender del vino. Ma se lo scopro! Se lo scopro! Mi raccomando a voi. *(entra)*

LIMONCINO Dal canto mio farò il possibile. *(s'incammina)*

SCENA V

Il CONTE alla finestra dell'osteria, e LIMONCINO; poi GIANNINA.

CONTE Ho sentito la voce di Limoncino. Ehi quel giovane. *(forte)*

---

[42] Infatti è vicino a Candida.

LIMONCINO Signore. *(si volta)*

CONTE Portateci due buoni caffè.

LIMONCINO Per chi, illustrissimo?

CONTE Per me.

LIMONCINO Tutti due per lei?

CONTE Uno per me, ed uno per il barone del Cedro.

LIMONCINO Sarà servita.

CONTE Subito, e fatto a posta. *(entra)*

LIMONCINO (Ora che so che vi è il Barone che paga, glieli porterò.) *(s'incammina)*

GIANNINA *(di casa, senza la rocca)* Ehi Limoncino.

LIMONCINO Anche voi volete seccarmi con questo nome di Limoncino?

GIANNINA Via via, non andate in collera. Non vi ho detto né rava, né zucca, né cocomero, né melanzana.

LIMONCINO Ne avete ancora?

GIANNINA Venite qui, ditemi: il signor Evaristo è ancor là? *(placidamente)*

LIMONCINO Dove là?

GIANNINA Da voi.

LIMONCINO Da noi?

GIANNINA Sì, da voi. *(si scalda un poco)*

LIMONCINO La bottega è lì; se ci fosse, lo vedreste.

GIANNINA Puh! nel giardino.

LIMONCINO Puh! non so niente. *(via, ed entra in bottega)*

GIANNINA Pezzo d'animalaccio! Se avessi la rocca, gliela scavezzerei[43] sul collo. E poi dicono ch'io son cattiva. Tutti mi strapazzano; tutti mi maltrattano. Quelle signore di là, questa sguaiata di qua, Moracchio, Coronato, Crespino... Uh maladetti quanti che siete.

---

[43] Romperei (venezianismo).

SCENA VI

EVARISTO dal caffè, correndo con allegria, e detta; poi CORONATO.

EVARISTO Oh eccola, eccola. Son fortunato. *(a Giannina)*

GIANNINA Ih! ih! Cosa vuol dir quest'allegria?

EVARISTO Oh Giannina, sono l'uomo il più felice,[44] il più contento del mondo.

GIANNINA Bravo, me ne consolo. Spero che mi farete dare soddisfazione delle impertinenze che m'hanno detto.

EVARISTO Sì, tutto quel che volete. Sappiate, Giannina mia, che voi eravate presa in sospetto. La signora Candida ha saputo ch'io vi aveva dato il ventaglio, credeva che lo avessi comprato per voi, era gelosa di me, era gelosa di voi.

GIANNINA Era gelosa di me?

EVARISTO Sì, certo.

GIANNINA Ah che ti venga la rabbia! *(verso il palazzino)*

EVARISTO Si voleva maritar con altri per sdegno, per vendetta, per disperazione. Mi ha veduto, è caduta, è svenuta. Sono stato un pezzo senza più poterla vedere. Finalmente per sorte, per fortuna, sua zia è sortita di casa. Candida è discesa nel suo giardino; ho rotto la siepe, ho saltato il muro, mi son gettato a' suoi piedi; ho pianto, ho pregato, l'ho sincerata, l'ho vinta, è mia, è mia, non vi è più da temere. *(con giubilo, e affannoso)*

GIANNINA Me ne rallegro, me ne congratulo, me ne consolo. Sarà sua, sua, sempre sua, ne ho piacer, ne ho contento, ne ho soddisfazione. *(lo carica un poco)*

EVARISTO Una sola condizione ella ha posto alla mia sicura, alla mia intera felicità.

GIANNINA E qual è questa condizione?

EVARISTO Per giustificare me intieramente, per giustificar voi nel medesimo tempo, e per dar a lei una giusta

---

[44] Secondo l'uso francese nel superlativo è usato l'articolo.

150

soddisfazione, è necessario ch'io le presenti [45] il ventaglio. *(come sopra)*

GIANNINA Ora stiamo bene.

EVARISTO Ci va del mio e del vostro decoro. Parerebbe ch'io l'avessi comprato per voi, si darebbe credito a' suoi sospetti. So che siete una giovane saggia e prudente. Favoritemi quel ventaglio. *(sempre con premura)*

GIANNINA Signore... Io non l'ho più il ventaglio. *(confusa)*

EVARISTO Oh via, avete ragione. Ve l'ho donato, e non lo domanderei, se non mi trovassi in questa estrema necessità. Ve ne comprerò un altro. Un altro molto meglio di quello; ma per amor del cielo, datemi subito quel che vi ho dato.

GIANNINA Ma vi dico, signore, ch'io non l'ho più.

EVARISTO Giannina, si tratta della mia vita e della vostra riputazione. *(con forza)*

GIANNINA Vi dico sull'onor mio, e con tutti i giuramenti del mondo, che io non ho quel ventaglio.

EVARISTO Oh cielo! cosa dunque ne avete fatto? *(con caldo)*

GIANNINA Hanno saputo ch'io aveva quel ventaglio, mi sono saltati intorno come tre cani arrabbiati...

EVARISTO Chi? *(infuriato)*

GIANNINA Mio fratello...

EVARISTO Moracchio... *(corre a chiamarlo alla casa)*

GIANNINA No, fermate, non l'ha avuto Moracchio.

EVARISTO Ma chi dunque? *(battendo i piedi)*

GIANNINA Io l'ho dato a Crespino...

EVARISTO Ehi? Dove siete? Crespino! *(corre alla bottega)*

GIANNINA Ma venite qui, sentite...

EVARISTO Son fuor di me.

GIANNINA Non l'ha più Crespino.

---

[45] Le dia in regalo.

EVARISTO Ma chi lo ha? Chi lo ha? Presto.

GIANNINA Lo ha quel birbante di Coronato.

EVARISTO Coronato? Subito. Coronato. *(all'osteria)*

CORONATO Signore.

EVARISTO Datemi quel ventaglio.

CORONATO Qual ventaglio?

GIANNINA Quello che avevo io e ch'è roba sua.

EVARISTO Animo, subito, senza perder tempo.

CORONATO Signore, me ne dispiace infinitamente...

EVARISTO Che?

CORONATO Ma il ventaglio non si trova più.

EVARISTO Non si trova più?

CORONATO Per distrazione l'ho messo sopra una botte. L'ho lasciato lì, son andato, son ritornato, non l'ho trovato più, qualcheduno l'ha portato via.

EVARISTO Che si trovi.

CORONATO Dove? Ho fatto di tutto.

EVARISTO Dieci, venti, trenta zecchini lo potrebbero far ritrovare?

CORONATO Quando non c'è, non c'è.

EVARISTO Son disperato.

CORONATO Mi dispiace, ma non so cosa farle. *(entra)*

EVARISTO Voi siete la mia rovina, il mio precipizio. *(contro Giannina)*

GIANNINA Che ci ho colpa io?

SCENA VII

CANDIDA sulla terrazza, e detti.

CANDIDA Signor Evaristo. *(lo chiama)*

EVARISTO (Eccola, eccola: son disperato.)

GIANNINA Che diavolo! È finito il mondo per questo?

CANDIDA Signor Evaristo! *(torna a chiamarlo)*

EVARISTO Ah Candida mia dilettissima, sono l'uomo più afflitto, più mortificato del mondo.

CANDIDA Eh che sì, che[46] il ventaglio non si può più avere?

GIANNINA (L'ha indovinata alla prima.)

EVARISTO Quante combinazioni in mio danno! Sì, pur troppo è la verità. Il ventaglio è smarrito, e non è possibile di ritrovarlo per ora. *(a Candida)*

CANDIDA Oh, so dove sarà.

EVARISTO Dove? dove? Se aveste qualche indizio per ritrovarlo...

GIANNINA Chi sa? Può essere che qualcheduno l'abbia trovato. *(ad Evaristo)*

EVARISTO Sentiamo. *(a Giannina)*

CANDIDA Il ventaglio sarà nelle mani di quella a cui lo avete donato, e non vuol renderlo, ed ha ragione.

GIANNINA Non è vero niente. *(a Candida)*

CANDIDA Tacete.

EVARISTO Vi giuro sull'onor mio...

CANDIDA Basta così. Il mio partito[47] è preso. Mi meraviglio di voi, che mi mettete a fronte[48] di una villana. *(via)*

GIANNINA Cos'è questa villana? *(alla terrazza)*

EVARISTO Giuro al cielo, voi siete cagione della mia disperazione, della mia morte. *(contro Giannina)*

GIANNINA Ehi, ehi, non fate la bestia.

EVARISTO. Ella ha preso il suo partito. Io deggio prendere il mio. Aspetterò il mio rivale, l'attaccherò colla spada, o morirà l'indegno, o sagrificherò la mia vita... Per voi, per voi a questo duro cimento.[49]

GIANNINA Oh, è meglio che vada via. Ho paura che diventi matto. *(va pian pian verso la casa)*

EVARISTO Ma come! la passione mi opprime il core;[50] mi manca il respiro. Non mi regge il piede; mi si abbaglia-

---

[46] Il fatto è che (francesismo).
[47] La mia decisione.
[48] A paragone.
[49] Espressioni tipiche del ruolo dell'*amoroso* della vecchia commedia.
[50] Cfr. la nota precedente.

no gli occhi. Misero me! chi m'aiuta? *(si lascia cadere su una sedia del caffè, e si abbandona affatto)*

GIANNINA *(voltandosi lo vede cadere)* Cos'è? cos'è? More, povero diavolo! More, aiuto, gente, ehi Moracchio! Ehi dal caffè!

SCENA VIII

LIMONCINO dal caffè, con le due tazze di caffè per andare all'osteria; MORACCHIO dalla casa accorre in aiuto di Evaristo; CRESPINO, TIMOTEO e detti, poi il CONTE.

CRESPINO *(di strada)* Oh, eccolo qui il signor Evaristo. Cos'è stato?

GIANNINA Dell'acqua, dell'acqua. *(a Limoncino)*

CRESPINO Del vino, del vino. *(corre in bottega)*

LIMONCINO Dategli del vino. Io porterò il caffè all'osteria. *(parte)*

MORACCHIO Animo, animo, signor Evaristo. Alla caccia, alla caccia.[51]

GIANNINA Sì, altro che caccia! È innamorato. Ecco tutto il suo male.

TIMOTEO *(dalla speziaria)* Cosa c'è?

MORACCHIO Venga qui, venga qui, signor Timoteo.

GIANNINA Venga a soccorrere questo povero galantuomo.

TIMOTEO Che male ha?

GIANNINA È in accidente.[52]

TIMOTEO Bisogna cavargli sangue.

MORACCHIO È capace vossignoria?

TIMOTEO In caso di bisogno, si fa di tutto. *(va alla speziaria)*

---

[51] Moracchio cerca di rianimarlo rammentandogli la sua passione per la caccia.
[52] In deliquio.

GIANNINA (Oh povero signor Evaristo, lo stroppia assolutamente[53].)

CRESPINO *(dalla bottega, con un fiasco di vino)* Ecco, ecco, questo lo farà rinvenire, è vino vecchio di cinque anni.

GIANNINA Pare che rinvenga un poco.

CRESPINO Oh, questo fa risuscitare i morti.

MORACCHIO Animo, animo, si dia coraggio.

TIMOTEO *(dalla speziaria, con bicchiere,[54] pezze e rasoio)* Eccomi qui, presto, spogliatelo.

MORACCHIO E cosa volete far del rasoio?

TIMOTEO In caso di bisogno, serve meglio di una lancetta.[55]

CRESPINO Un rasoio?

GIANNINA Un rasoio?

EVARISTO Chi è che vuole assassinarmi con un rasoio? *(pateticamente, alzandosi)*

GIANNINA Il signor Timoteo.

TIMOTEO Son un galantuomo, non assassino alcuno, e quando si fa quello che si può e quello che si sa, nessuno ha occasione di rimproverare. (Che mi chiamino un'altra volta, che or verrò!) *(entra in bottega)*

MORACCHIO Vuol venire da me, signor Evaristo? Riposerà sul mio letto.

EVARISTO Andiamo dove volete.

MORACCHIO Mi dia il braccio, s'appoggi.

EVARISTO Quanto meglio saria per me che terminassi questa misera vita![56] *(s'incammina sostenuto da Moracchio)*

---

[53] È proprio la volta che lo rovina.

[54] Per raccogliere il sangue.

[55] Strumento chirurgico usato per i salassi. Si noti che il prendere in giro speziali e medici è tipico dei comici. Di tali personaggi doveva aver diretta conoscenza l'Autore, il cui padre era un medico che detestava la sua professione.

[56] Espressione convenzionale da *amoroso*.

GIANNINA (Se ha volontà di morire, basta che si raccomandi allo speziale.)

MORACCHIO Eccoci alla porta. Andiamo.

EVARISTO Pietà inutile a chi non desidera che di morire. *(entrano)*

MORACCHIO Giannina, vieni ad accomodar il letto per il signor Evaristo. *(sulla porta, ed entra)*

GIANNINA *(vorrebbe andare anch'ella)*

CRESPINO Giannina? *(la chiama)*

GIANNINA Cos'è?

CRESPINO Siete molto compassionevole per quel signore!

GIANNINA Faccio il mio debito, perché io e voi siamo la causa del suo male.

CRESPINO Per voi non so che dire. Ma io? Come c'entro io?

GIANNINA Per causa di quel maladetto ventaglio. *(entra)*

CRESPINO Maladetto ventaglio! L'avrò sentito nominare un milione di volte. Ma ci ho gusto per quell'ardito di Coronato. È mio nemico, e lo sarà sempre, fino che non arrivo a sposar Giannina. Potrei metterlo quel ventaglio in terra, in qualche loco, ma se gli camminano sopra, se lo fracassano? Qualche cosa farò, io non voglio che mi mettano in qualche imbarazzo.[57] Ho sentito a dire che in certe occasioni i stracci vanno all'aria. Ed io i pochi che ho, me li vo' conservare. *(va al banco suo, e prende il ventaglio)*

LIMONCINO Ed il...[58]

CONTE *(dall'osteria)* Vien qui, aspetta. *(prende un pezzetto di zucchero e se lo mette in bocca)* Per il raffreddore.

LIMONCINO Per la gola.

CONTE Che?

[57] Situazione imbarazzante.
[58] Limoncino si chiede dove sia il Signor Evaristo.

LIMONCINO Dico che fa bene alla gola. *(parte e va in bottega)*

CONTE[59] *(passeggia contento, mostrando aver ben mangiato)*

CRESPINO (Quasi, quasi... Si. questo è il meglio di tutto.) *(s'avanza col ventaglio)*

CONTE Oh buon giorno, Crespino.

CRESPINO Servitor di Vostra Signoria illustrissima.

CONTE Sono accomodate le scarpe? *(piano)*

CRESPINO Domani sarà servita. *(fa vedere il ventaglio)*

CONTE Che cosa avete di bello in quella carta?

CRESPINO È una cosa che ho trovato per terra, vicino all'osteria della Posta.[60]

CONTE Lasciate vedere.

CRESPINO Si servi. *(glielo dà)*

CONTE Oh un ventaglio! Qualcheduno passando l'averà perduto. Cosa volete fare di questo ventaglio?

CRESPINO Io veramente non saprei cosa farne.

CONTE Lo volete vendere?

CRESPINO Oh venderlo! Io non saprei cosa domandarne. Lo crede di prezzo questo ventaglio?

CONTE Non so, non me n'intendo. Vi sono delle figure... ma un ventaglio trovato in campagna non può valere gran cosa.

CRESPINO Io avrei piacere che valesse assai.

CONTE Per venderlo bene.

CRESPINO No in verità, illustrissimo. Per aver il piacere di farne un presente a Vostra Signoria illustrissima.

CONTE A me? Me lo volete donare a me? *(contento)*

CRESPINO Ma come non sarà cosa da par suo...

CONTE No no, ha il suo merito, mi par buonino. Vi ringrazio, caro. Dove posso, vi esibisco la mia protezione. (Ne farò un regalo, e mi farò onore.)

[59] A rigore qui dovrebbe cominciare una nuova scena.
[60] Stazione nella quale si fermavano le diligenze per cambiare i cavalli.

CRESPINO Ma la supplico d'una grazia.

CONTE (Oh, già lo sapevo. Costoro non danno niente senza interesse.) Cosa volete? Parlate.

CRESPINO La prego non dire di averlo avuto da me.

CONTE Non volete altro?

CRESPINO Niente altro.

CONTE (Via via, è discreto.) Quando non volete altro... ma ditemi in grazia, non volete che si sappia che l'ho avuto da voi? Per avventura l'avreste rubato?

CRESPINO Perdoni, illustrissimo, non son capace...

CONTE Ma perché non volete che si sappia che l'ho avuto da voi? Se l'avete trovato, e se il padrone non lo domanda, io non ci so vedere la ragione.

CRESPINO Eh, c'è la sua ragione. *(ridendo)*

CONTE E qual è?

CRESPINO Le dirò. Io ho un'amorosa.

CONTE Lo so benissimo. È Giannina.

CRESPINO E se Giannina sapesse che io aveva questo ventaglio, e che non l'ho donato a lei, se ne avrebbe a male.

CONTE Avete fatto bene a non darglielo. Non è ventaglio per una contadina. *(lo mette via)* Non dubitate, non dirò niente d'averlo avuto da voi. Ma a proposito: come vanno gli affari vostri con Giannina? Avete veramente volontà di sposarla?

CRESPINO Per dirle la verità... Le confesso il mio debole. La sposerei volentieri.

CONTE Quand'è così, non dubitate. Ve la faccio sposar questa sera, se voi volete.

CRESPINO Davvero!

CONTE Che sono io? Cosa val la mia protezione!

CRESPINO Ma Coronato che la pretende?

CONTE Coronato?... Coronato è uno sciocco. Vi vuol bene Giannina?

CRESPINO Assai.

CONTE Bene dunque. Voi siete amato, Coronato non lo può soffrire: fidatevi della mia protezione.

CRESPINO Fin qui l'intendo ancor io. Ma il fratello?

CONTE Che fratello? che fratello? Quando la sorella è contenta, cosa c'entra il fratello? Fidatevi della mia protezione.

CRESPINO Mi raccomando dunque alla sua bontà.

CONTE Sì, alla mia protezione.

CRESPINO Vado a terminare d'accomodar le sue scarpe.

CONTE Dite piano. Ne avrei bisogno d'un paio di nuove.

CRESPINO La servirò.

CONTE Eh! le voglio pagare, sapete? Non credereste mai... Io non vendo la mia protezione.

CRESPINO Oh, per un paio di scarpe!

CONTE Andate, andate a fare le vostre faccende.

CRESPINO Vado subito. *(va per andare al banco)*

CONTE *(tira fuori il ventaglio, e a poco a poco lo esamina)*

CRESPINO (Oh cospetto di bacco! Mi era andato di mente. Mi ha mandato la signora Geltruda a cercar il signor Evaristo, l'ho trovato qui e non gli ho detto niente. Ma la sua malattia... Il ventaglio... Me ne sono scordato. Andrei ad avvertirlo, ma in quella casa non ci vado per cagion di Moracchio. Farò così, anderò a ritrovare la signora Geltruda. Le dirò che il signor Evaristo è in casa di Giannina, e lo manderà a chiamare da chi vorrà.) *(entra nella bottega della merciaia)*

CONTE Eh! *(con sprezzo)* Guarda e riguarda:[61] è un ventaglio. Che può costar?... che so io? Sette o otto paoli.[62] Se fosse qualche cosa di meglio, lo donerei alla signora Candida, che questa mattina ha rotto il suo. Ma perché no? Non è poi tanto cattivo.

---

[61] Così stampano le edizioni antiche e recenti. Senonché l'inciso *guarda e riguarda* appartiene alla didascalia e sarebbe quindi da stamparsi in corsivo fra parentesi.

[62] Il *paolo* era un'antica moneta, il cui nome derivava da papa Paolo III, del valore di 10 soldi o 20 baiocchi.

GIANNINA *(alla finestra)* (Non vedo Crespino. Dove sarà andato a quest'ora?)

CONTE Queste figure non sono ben dipinte, ma mi pare che non siano mal disegnate.

GIANNINA (Oh cosa vedo! Il ventaglio in mano del signor Conte! Presto, andiamo a risvegliare il signor Evaristo.) *(via)*

CONTE Basta, non si ricusa mai niente.[63] Qualche cosa farò.[64]

SCENA IX

BARONE dall'osteria, e detto; poi TOGNINO.

BARONE Amico, mi avete piantato lì.

CONTE Ho veduto che non avevate volontà di parlare.

BARONE Sì, è vero: non posso ancor darmi pace... Ditemi, vi pare che possiamo ora tentar di riveder queste signore?

CONTE Perché no? Mi viene ora in mente una cosa buona. Volete ch'io vi faccia un regalo? Un regalo con cui vi potete far onore colla signora Candida.

BARONE Cos'è questo regalo?

CONTE Sapete che questa mattina ella ha rotto il suo ventaglio?

BARONE È vero; m'è stato detto.

CONTE Ecco un ventaglio. Andiamola a ritrovare,[65] e presentateglielo voi colle vostre mani. *(lo dà al Barone)* Guardate, guardate, non è cattivo.

BARONE E volete dunque...

CONTE Sì, presentatelo come voi.[66] Io non voglio farmi alcun merito. Lascio tutto l'onore a voi.

[63] Cfr. il proverbio *Non domandare, non rifiutare.*
[64] Me ne farò.
[65] Nel senso di *tornare verso qualcuno* (francesismo).
[66] Come vostro, cioè come se fosse donato da voi: errore di stampa.

BARONE Accetterò volentieri quest'occasione, ma mi permetterete che dimandi cosa vi costa?

CONTE Cosa v'importa a sapere quel che mi costa?

BARONE Per soddisfarne il prezzo.

CONTE Oh cosa serve! Mi meraviglio. Anche voi mi avete donato quelle pistole...

BARONE Non so che dire. Accetterò le vostre finezze.[67] (Dove diavolo ha trovato questo ventaglio? Mi pare impossibile ch'egli l'abbia comprato.) *(guardandolo)*

CONTE Ah, cosa dite? Non è una galanteria? Non è venuto a tempo? Oh, io in queste occasioni so quel che ci vuole. So prevedere. Ho una camera piena di queste galanterie per le donne. Orsù andiamo, non perdiamo tempo. *(corre, e batte al palazzino)*

TOGNINO *(sulla terrazza)* Cosa comanda?

CONTE Si può riverire queste signore?

TOGNINO La signora Geltruda è fuori di casa, e la signora Candida è nella sua camera che riposa.

CONTE Subito che si sveglia, avvisateci.

TOGNINO Sarà servita. *(via)*

CONTE Avete sentito?

BARONE Bene, bisogna aspettare. Ho da scrivere una lettera a Milano, andrò a scriverla dallo speziale. Se volete venire anche voi?

CONTE No no, da colui vi vado mal volentieri. Andate a scrivere la vostra lettera, io resterò qui ad aspettare l'avviso del servitore.

BARONE Benissimo. Ad ogni cenno sarò con voi.

CONTE Fidatevi di me, e non dubitate.

BARONE (Ah, mi fido poco di lui, meno della zia, e meno ancora della nipote.) *(da sé; va dallo speziale)*

CONTE Mi divertirò col mio libro; colla mia preziosa raccolta di favole meravigliose. *(tira fuori il libro, e siede)*

---

[67] Cortesia.

SCENA X

EVARISTO (Oh, eccolo ancora qui; dubitava ch'ei fosse partito. Non so come il sonno abbia potuto prendermi fra tante afflizioni. La stanchezza... la lassitudine...[68] Ora mi par di rinascere. La speranza di ricuperar il ventaglio...) *(da sé)* Signor Conte, la riverisco divotamente.

CONTE Servitor suo. *(leggendo e ridendo)*

EVARISTO Permette ch'io possa dirle una parola?

CONTE Or ora son da voi. *(come sopra)*

EVARISTO (Se non ha il ventaglio in mano, io non so come introdurmi[69] a parlare.) *(da sé)*

CONTE *(si alza ridendo, mette via il libro e s'avanza)* Eccomi qui: Cosa posso fare per servirvi?

EVARISTO Perdonate se vi ho disturbato. *(osservando se vede il ventaglio)*

CONTE Niente, niente, finirò la mia favola un'altra volta.

EVARISTO Non vorrei che mi accusaste di troppo ardito.

CONTE Cosa guardate? Ho qualche macchia d'intorno?[70] *(si guarda)*

EVARISTO Scusatemi. Mi è stato detto che voi avevate un ventaglio.

CONTE Un ventaglio? *(confondendosi)* È vero, l'avete forse perduto voi?

EVARISTO Sì signor, l'ho perduto io.

CONTE Ma vi sono bene dei[71] ventagli al mondo. Cosa sapete che sia quello che avete perduto?

EVARISTO Se volete aver la bontà di lasciarmelo vedere...

---

[68] Languore.
[69] Cominciare.
[70] Addosso.
[71] Tanti (francesismo).

CONTE Caro amico, mi dispiace che siete venuto un po' tardi.

EVARISTO Come tardi?

CONTE Il ventaglio non è più in mano mia.

EVARISTO Non è più in mano vostra? *(agitato)*

CONTE No, l'ho dato ad una persona.

EVARISTO E a qual persona l'avete dato? *(riscaldandosi)*

CONTE Questo è quello ch'io non voglio dirvi.

EVARISTO Signor Conte, mi preme saperlo; mi preme aver quel ventaglio, e mi avete a dire chi l'ha.

CONTE Non vi dirò niente.

EVARISTO Giuro al cielo, voi lo direte. *(trasportato)*

CONTE Come! mi perdereste il rispetto?

EVARISTO Lo dico, e lo sosterrò; non è azione da galantuomo. *(con caldo)*

CONTE Sapete voi che ho un paio di pistole cariche? *(caldo)*

EVARISTO Che importa a me delle vostre pistole? Il mio ventaglio, signore.

CONTE Che diavolo di vergogna! Tanto strepito per uno straccio di ventaglio che valerà cinque paoli.

EVARISTO Vaglia quel che sa valere, voi non sapete quello che costa ed io darei per riaverlo... Sì, darei cinquanta zecchini.

CONTE Dareste cinquanta zecchini!

EVARISTO Sì, ve lo dico e ve lo prometto. Se si potesse ricuperare, darei cinquanta zecchini.[72]

---

[72] Lo *zecchino* era il ducato d'oro veneto (sec. XVI). Il nome passò ad altre monete di uguale valore coniate dal Regno di Sardegna, dall'Austria (per il Lombardo-Veneto), da Genova, Lucca e dal Granducato di Toscana.

CONTE (Diavolo, bisogna che sia dipinto da Tiziano[73] o da Raffaello d'Urbino[74].)

EVARISTO Deh signor Conte, fatemi questa grazia, questo piacere.

CONTE Vedrò se si potesse ricuperare, ma sarà difficile.

EVARISTO Se la persona che l'ha, volesse cambiarlo in cinquanta zecchini, disponetene liberamente.

CONTE Se l'avessi io, mi offenderei d'una simile proposizione.

EVARISTO Lo credo benissimo. Ma può essere che la persona che l'ha, non si offenda.

CONTE Oh in quanto a questo, la persona si offenderebbe quanto me, e forse forse... Amico, vi assicuro che sono estremamente imbrogliato.

EVARISTO Facciamo così, signor Conte. Questa è una scatola d'oro, il di cui solo peso val cinquantaquattro zecchini. Sapete che la fattura raddoppia il prezzo; non importa, per ricevere quel ventaglio, ne offerisco il cambio assai volentieri. Tenete. *(gliela dà)*

CONTE Ci sono de' diamanti in quel ventaglio? Io non ci ho badato.

EVARISTO Non ci sono diamanti, non val niente, ma per me è prezioso.

CONTE Bisognerà vedere di contentarvi.

EVARISTO Vi prego, vi supplico, vi sarò obbligato.

CONTE Aspettate qui. (Sono un poco imbrogliato?) Farò di tutto per soddisfarvi... e volete che io dia in cambio la tabacchiera?

EVARISTO Sì, datela liberamente.

CONTE Aspettate qui. *(s'incammina)* E se la persona mi

---

[73] Tiziano (Pieve di Cadore 1477 - Venezia 1576), celeberrimo pittore di scuola veneta, amico dell'Aretino e artista personale dell'imperatore Carlo V.
[74] Raffaello (Urbino 1483 - Roma 1520), uno dei nostri più grandi pittori. Tra le opere più famose si ricordino le Stanze Vaticane.

rendesse il ventaglio, e non volesse la tabacchiera?

EVARISTO Signore, la tabacchiera l'ho data a voi, è cosa vostra fatene quell'uso che vi piace.[75]

CONTE Assolutamente?

EVARISTO Assolutamente.

CONTE (Il Barone finalmente è galantuomo, è mio amico.) Aspettate qui. (Se fossero i cinquanta zecchini non li accetterei, ma una tabacchiera d'oro? Sì signore, è un presente da titolato.) *(va alla spezieria)*

EVARISTO Sì, per giustificarmi presso dell'idol mio farei sagrifizio del mio sangue medesimo, se abbisognasse.[76]

SCENA XI

CRESPINO dalla bottega della merciaia, e detti; poi GIANNINA.

CRESPINO (Oh eccolo qui.) Signore, la riverisco. La signora Geltruda vorrebbe parlar con vossignoria. È qui in casa dalla merciaia, e la prega di darsi l'incomodo di andar colà che l'aspetta.

EVARISTO Dite alla signora Geltruda che sarò a ricevere i suoi comandi, che la supplico d'aspettar un momento, tanto ch'io[77] vedo se viene una persona che mi preme vedere, e verrò subito ad obbedirla.

CRESPINO Sarà servito. Come sta? Sta meglio?

EVARISTO Grazie al cielo, sto meglio assai.

CRESPINO Me ne consolo infinitamente. E Giannina sta bene?

EVARISTO Io credo di sì.

CRESPINO È una buona ragazza Giannina.

EVARISTO Sì, è vero; e so che vi ama teneramente.

CRESPINO L'amo anch'io, ma...

[75] Nell'ed. Zatta si legge «...qual uso che vi piace».
[76] Cfr. la nota 49, la nota 56 ecc.
[77] Finché io.

EVARISTO Ma che?

CRESPINO Mi hanno detto certe cose...

EVARISTO Vi hanno detto qualche cosa di me?

CRESPINO Per dir la verità, signor sì.

EVARISTO Amico, io sono un galantuomo, e la vostra Giannina è onesta.

CRESPINO (Oh sì, lo credo anch'io. Non mancano mai delle male lingue.)

CONTE *(sulla porta della spezieria, che torna)*

EVARISTO Oh, andate dalla signora Geltruda, e ditele che vengo subito. *(a Crespino)*

CRESPINO Signor sì. *(s'incammina)* Son sicuro, non vi è pericolo, son sicuro. *(passa vicino al Conte)* Mi raccomando a lei per Giannina.

CONTE Fidatevi della mia protezione.

CRESPINO Non vedo l'ora. *(entra da Susanna)*

EVARISTO Ebbene, signor Conte?

CONTE Ecco il ventaglio. *(lo fa vedere)*

EVARISTO Oh che piacere! Oh quanto vi sono obbligato! *(lo prende con avidità)*

CONTE Guardate se è il vostro?

EVARISTO Sì, è il mio senza altro. *(vuol partire)*

CONTE E la tabacchiera?

EVARISTO Non ne parliamo più. Vi son schiavo. *(corre ed entra dalla merciaia)*

CONTE Cosa vuol dire non conoscere le cose perfettamente! Io lo credevo un ventaglio ordinario, e costa tanto! Costa tanto, che merita il cambio d'una tabacchiera d'oro di questo prezzo! *(piglia la tabacchiera)* Evaristo non l'ha voluta indietro. Il Barone forse forse... non l'avrebbe voluta ricevere... Sì, è un poco disgustato,[78] veramente, ch'io gli abbia ridomandato il ventaglio, ma avendogli detto ch'io lo presenterò in nome suo, si è un poco acquietato.

---

[78] Forse si dovrebbe leggere: «Si è un poco disgustato...».

Ne comprerò uno di[79] tre o quattro paoli, che farà la stessa figura.[80]

CRESPINO *(che torna dalla merciaia)* Manco male che la mia commissione è poi andata assai bene. La signora Geltruda merita d'esser servita. Oh! signor Conte, adunque ella mi dà buone speranze?

CONTE Buonissime. Oggi è una giornata per me fortunata, e tutte le cose mi vanno bene.

CRESPINO Se gli andasse bene anche questa!

CONTE Sì, subito, aspettate. Ehi Giannina.

GIANNINA *(di casa)* Signore, cosa vuole? Cosa pretende? *(in collera)*

CONTE Non tanta furia, non tanto caldo. Voglio farvi del bene, e maritarvi.

GIANNINA Io non ho bisogno di lei.

CRESPINO Sente? *(al Conte)*

CONTE Aspettate. *(a Crespino)* Voglio maritarvi a modo mio. *(a Giannina)*

GIANNINA Ed io gli dico di no.

CONTE E voglio darvi per marito Crespino.

GIANNINA Crespino? *(contenta)*

CONTE Ah! cosa dite? *(a Giannina)*

GIANNINA Signor sì, con tutta l'anima, con tutto il core.

CONTE Vedete l'effetto della mia protezione? *(a Crespino)*

CRESPINO Sì signore, lo vedo.

---

[79] Come spesso in Goldoni si può qui notare ancora una volta oscillazione tra *di* e *da*.

[80] Si noti che il breve monologo del Conte risulta, per necessità di economia teatrale, un po' troppo sbrigativo. Non si vedono infatti le ragioni plausibili per cui il Barone avrebbe dovuto cedere così facilmente il ventaglio considerato il suo carattere altezzoso (cfr. la *Premessa al testo*, p. 36).

SCENA XII

MORACCHIO Cosa fate qui?

GIANNINA Cosa c'entrate voi?

CONTE Giannina si ha da maritare sotto gli auspici della mia protezione.

MORACCHIO Signor sì, son contento, e tu vi acconsentirai o per amore o per forza.

GIANNINA Oh, vi acconsentirò volentieri. *(con serietà)*

MORACCHIO Sarà meglio per te.

GIANNINA E per farti vedere che vi acconsento, do la mano a Crespino.

MORACCHIO Signor Conte. *(con affanno)*

CONTE Lasciate fare. *(placidamente)*

MORACCHIO Non era ella, signor Conte, impegnata per Coronato?

SCENA XIII

CORONATO Chi mi chiama?

MORACCHIO Venite qui, vedete. Il signor Conte vuol che mia sorella si mariti.

CORONATO Signor Conte... *(con smania)*

CONTE Io sono un cavalier giusto, un protettor ragionevole, umano. Giannina non vi vuole, ed io non posso, non deggio e non voglio usarle violenza.

GIANNINA Signor sì, voglio Crespino a dispetto di tutto il mondo.

CORONATO Cosa dite voi? *(a Moracchio)*

MORACCHIO Cosa dite voi? *(a Coronato)*

CORONATO Non me n'importa un fico. Chi non mi vuol, non mi merita.

GIANNINA Così va detto.

CONTE Ecco l'effetto della mia protezione. *(a Crespino)*

CORONATO Signor Conte, ho mandato l'altro barile di vino.

CONTE Portatemi il conto, e vi pagherò. *(dicendo così, tira fuori la scatola d'oro e prende tabacco)*

CORONATO (Ha la scatola d'oro, mi pagherà.) *(via)*

MORACCHIO Hai poi voluto fare a modo tuo. *(a Giannina)*

GIANNINA Mi par di sì.

MORACCHIO Se te ne pentirai, sarà tuo danno.

CONTE Non se ne pentirà mai; avrà la mia protezione.

MORACCHIO Pane, pane, e non protezione. *(entra in casa)*

CONTE E così, quando si faranno le vostre nozze?

CRESPINO Presto.

GIANNINA Anche subito.

SCENA XIV

BARONE dalla spezieria, e detti.

BARONE Ebbene, signor Conte, avete veduta la signora Candida? Le avete dato il ventaglio? Perché non avete voluto che avessi io il contento[81] di presentarglielo?

GIANNINA Come! non l'ha avuto il signor Evaristo?

CONTE Io non ho ancora veduto la signora Candida, circa il ventaglio ne ho degli altri, e ve ne ho destinato uno migliore. Oh, ecco qui la signora Geltruda.

SCENA XV

GELTRUDA, EVARISTO, SUSANNA, tutti dalla bottega di Susanna.

GELTRUDA Favoritemi di far discendere mia nipote, ditele che le ho da parlare, che venga qui. *(a Susanna)*

---

[81] La contentezza.

SUSANNA Sarà servita. *(va al palazzino, batte, aprono ed entra)*

GELTRUDA Non ho piacere che il signor Conte ed il signor Barone entrino in casa. A quest'ora possiamo discorrere qui. *(piano ad Evaristo)*

CONTE Signora Geltruda, appunto il signor Barone ed io volevamo farvi una visita.

GELTRUDA Obbligatissima. Adesso è l'ora del passeggio, prenderemo un poco di fresco.

BARONE Ben tornato, signor Evaristo. *(serio)*

EVARISTO Vi son servitore. *(brusco)*

SCENA ULTIMA

CANDIDA e SUSANNA dal palazzino, e detti

CANDIDA Che mi comanda la signora zia?

GELTRUDA Andiamo a far quattro passi.

CANDIDA (Oh, è qui quel perfido[82] d'Evaristo!)

GELTRUDA Ma che vuol dire che non avete il ventaglio? *(a Candida)*

CANDIDA Non sapete che questa mattina si è rotto?

GELTRUDA Ah sì, è vero; se si potesse trovarne uno!

BARONE (Ora è il tempo di darglielo.) *(piano al Conte, urtandolo con premura)*

CONTE (No in pubblico, no.) *(piano al Barone)*

GELTRUDA Signor Evaristo, ne avrebbe uno a sorte?[83]

EVARISTO Eccolo a' vostri comandi. *(a Geltruda lo fa vedere, ma non lo dà)*

CANDIDA *(si volta dall'altra parte con dispetto)*

BARONE (Il vostro ventaglio.) *(piano al Conte)*

CONTE (Diavolo! oibò.) *(al Barone)*

---

[82] Aggettivo tipico del linguaggio amoroso e melodrammatico del teatro settecentesco.

[83] Per caso.

BARONE (Fuori il vostro.) *(al Conte)*

CONTE (No, ora no.) *(al Barone)*

GELTRUDA Nipote, non volete ricevere le grazie[84] del signor Evaristo?

CANDIDA No, signora, scusatemi; non ne ho di bisogno.

CONTE (Vedete, non l'accetta.) *(al Barone)*

BARONE (Date a me, date a me il vostro.) *(al Conte)*

CONTE (Volete far nascere una disfida?)[85] *(al Barone)*

GELTRUDA Si potrebbe sapere, perché non volete ricevere quel ventaglio?

CANDIDA Perché non è mio, perché non era destinato per me. *(a Geltruda, con caricatura)* E perché non è mio, né vostro decoro, ch'io lo riceva.

GELTRUDA Signor Evaristo, a voi tocca a giustificarvi.

EVARISTO Lo farò, se mi vien permesso.

CANDIDA Con licenza.[86] *(vuol andar via)*

GELTRUDA Restate qui, che ve lo comando. *(Candida resta)*

BARONE (Che imbroglio è questo?) *(al Conte)*

CONTE (Io non so niente.) *(al Barone)*

EVARISTO Signora Susanna, conoscete voi questo ventaglio?

SUSANNA Sì signore, è quello che avete comprato da me questa mattina, e ch'io imprudentemente ho creduto che l'aveste comprato per Giannina.

GIANNINA Oh, così mi piace: imprudentemente! *(a Susanna)*

SUSANNA Sì, confesso il mio torto, e voi imparate da me a render giustizia alla verità. Per altro io aveva qualche ragione, perché il signor Evaristo ve l'aveva dato.

---

[84] Lo stesso che *finezze*, cioè cortesie.

[85] Duello. Ma il termine *disfida* suona più enfatico. Il duello, ovviamente, dovrebbe svolgersi tra il Barone ed Evaristo.

[86] Con permesso. Formula di commiato usuale nel Settecento.

EVARISTO Perché vi aveva io dato questo ventaglio? *(a Giannina)*

GIANNINA Per darlo alla signora Candida: ma quando voleva darglielo, mi ha strapazzato[87] e non mi ha lasciato parlare. Io poi voleva rendervelo, voi non l'avete voluto, ed io lo ho dato a Crespino.

CRESPINO Ed io son caduto, e Coronato l'ha preso.

EVARISTO Ma dov'è Coronato? Come poi è sortito dalle mani di Coronato?

CRESPINO Zitto, non lo stiamo a chiamare, che giacché non c'è, dirò io la verità. Piccato,[88] sono entrato nell'osteria per trovar[89] del vino, l'ho trovato a caso, e l'ho portato via.

EVARISTO E che cosa ne avete fatto?

CRESPINO Un presente al signor Conte.

CONTE Ed io un presente al signor Barone.

BARONE Voi l'avete riavuto! *(al Conte, con sdegno)*

CONTE Sì, e l'ho rimesso nelle mani del signor Evaristo.

EVARISTO Ed io lo presento alle mani della signora Candida.

CANDIDA *(fa una riverenza, prende il ventaglio, e ridendo si consola)*

BARONE Che scena è questa? Che impiccio è questo? Sono io messo in ridicolo per cagione vostra? *(al Conte)*

CONTE Giuro al cielo, giuro al cielo,[90] signor Evaristo!

EVARISTO Via via, signor Conte, si quieti. Siamo amici, mi dia una presa di tabacco.

CONTE Io son così, quando mi prendono colle buone, non posso scaldarmi il sangue.

BARONE Se non ve lo scaldate voi, me lo scalderò io.

GELTRUDA Signor Barone...

---

[87] Il soggetto è Candida.
[88] Irritato.
[89] Procurarmi (francesismo).
[90] Me la pagherete.

BARONE E voi, signora, vi prendete spasso di me? *(a Geltruda)*

GELTRUDA Scusatemi, voi mi conoscete poco, signore. Non ho mancato a tutti i numeri[91] del mio dovere. Ho ascoltate le vostre proposizioni, mia nipote le aveva ascoltate ed accettate, ed io con piacere vi acconsentiva.

CONTE Sentite? Perché le avevo parlato io. *(al Barone)*

BARONE E voi, signora, perché lusingarmi? Perché ingannarmi?

CANDIDA Vi domando scusa, signore. Ero agitata da due passioni contrarie. La vendetta mi voleva far vostra, e l'amore mi ridona ad Evaristo.

CONTE Oh, qui non c'entro.

EVARISTO E se foste stato amante meno sollecito, ed amico mio più sincero, non vi sareste trovato in caso tale.

BARONE Sì, è vero, confesso la mia passione, condanno la mia debolezza. Ma detesto l'amicizia e la condotta del signor Conte. *(saluta e via)*

CONTE Eh niente, siamo amici. Si scherza. Fra noi altri colleghi ci conosciamo. Animo, facciamo queste nozze, questo matrimonio.

GELTRUDA Entriamo in casa, e spero che tutto si adempirà con soddisfazione comune.

CANDIDA *(si fa fresco col ventaglio)*

GELTRUDA Siete contenta d'aver nelle mani quel sospirato ventaglio? *(a Candida)*

CANDIDA Non posso spiegare l'eccesso della mia contentezza.

GIANNINA Gran ventaglio! ci ha fatto girar la testa dal primo all'ultimo.

CANDIDA È di Parigi questo Ventaglio?

---

[91] Ad alcun punto. Geltruda vuol dire che non ha mancato a nessuno dei suoi doveri.

SUSANNA Vien di Parigi,[92] ve l'assicuro.

GELTRUDA Andiamo; v'invito tutti a cena da noi. Beveremo alla salute di chi l'ha fatto.[93] *(ai comici)* E ringrazieremo umilmente chi ci ha fatto l'onore di compatirlo.[94]

---

[92] Giuoco di parole perché *Il ventaglio* era stato scritto a Parigi e di lì inviato a Venezia. Si dice che alla prima della commedia il pubblico si sia levato in piedi ad applaudire calorosamente l'Autore.

[93] Cioè del compositore.

[94] Di accettarlo benevolmente. Allusione al pubblico. Si ricordi il *plaudite cives* della commedia latina.

SOMMARIO

Finito di stampare nel mese di gennaio 1989
dalla RCS Rizzoli Libri S.p.A. - Via A. Scarsellini, 17 - 20161 Milano

Printed in Italy